plan
de Paris

1 cm : 100 m

**Répertoire des rues
Sens uniques · Transports**

Utilisez les avantages
de ce nouveau pliage :
développez
les plis successifs du plan
pour augmenter votre surface de lecture.

Les Services de Tourisme du Pneu Michelin vous présentent leur **« Plan de Paris » nº 14.**

Cet ouvrage correspond à la situation actuelle. Mais certains renseignements perdent de leur actualité en raison de l'évolution incessante de l'activité dans la capitale. Nos lecteurs sauront le comprendre.

LA CLÉ DU GUIDE

Les **Rues de Paris** : répertoire alphabétique de toutes les rues et leur localisation sur le plan . . . . 6 à 50

La **Légende du plan de Paris** (voirie, bâtiments, sports et loisirs...) 51

Les **Bois de Boulogne et de Vincennes** : avec leurs diverses installations, leurs allées, leurs carrefours, leurs routes . . . . 54 à 57

Tableau d'assemblage. Grands axes de circulation . . . . . ▯

Un **Plan de Paris** : plan complet (1 cm pour 100 m) découpé en 59 pages dépliables et offrant une grande commodité de lecture. Y figurent, entre autres, les sens interdits, les limites d'arrondissements, les édifices publics, les bureaux de poste, les parkings, les stations de métro et de taxis . . . ▮ à ▮▮

Le **Métro** : plan des lignes urbaines . . . . ▮▮ et ▮▮

Les **Autobus** : plan montrant les itinéraires des lignes urbaines . . . . ▮▮ à ▮▮

Les **Urgences** : police secours, pompiers, santé, pharmacies, stations-service ouvertes nuit et jour . . . . en fin de volume

The Michelin Tourist Services present this first edition of the **PLAN DE PARIS** *no 14.*

Information in this section is the latest available at the time of going to press ; improvements and alterations may account for certain discrepancies, we hope our readers will bear with us.

KEY TO THE GUIDE

Streets of Paris : Index with references to the plan . .	6 to 50
Conventional signs	52
The Bois de Boulogne and Bois de Vincennes	54 to 57
Layout diagram with main traffic arteries	1
Plan de Paris : for greater convenience a fold out plan Paris (1 : 10 000) covering 59 pages	2 to 60
Metro : schematic diagram of the inner Paris network	and 62
Buses : plan of the urban bus routes	to 72
Emergency telephone numbers	inside back cover

Die Touristikabteilung der Michelin-Reifenwerke stellt Ihnen ihre Veröffentlichung **PLAN DE PARIS nº 14** *vor.*

Die Ausgabe wurde auf den neuesten Stand gebracht. Durch die Entwicklung der sich stetig wandelnden Hauptstadt können einige Angaben jedoch inzwischen veraltet sein. Wir bitten unsere Leser dafür um Verständnis.

ÜBERSICHT

Die Straßen von Paris : Ihre Lage auf dem Plan	6-50
Legende	52
Bois de Boulogne und Bois de Vincennes	54-57
Seiteneinteilung des Plans, Hauptverkehrsstraßen	1
Plan von Paris : Vollständiger und sehr übersichtlicher Stadtplan (1 cm = 100 m) auf 59 Faltseiten	2-60
Die Metro : Plan der städtischen Metrolinien	61, 62
Die Autobusse : Plan der wichtigsten städtischen Autobuslinien	63-72
Notruf	am Ende des Bandes

Los Servicios de Turismo del Neumático Michelin le presentan su **PLAN DE PARÍS nº 14.**

Esta primera edición corresponde a la situación actual, pero la evolución de la actividad de la capital puede hacer que determinadas informaciones caduquen. Esperamos que nuestros lectores lo comprendan.

LA CLAVE DE LA GUÍA

Las calles de París, su localización en el plano	6-50
Signos convencionales	53
Los Bosques de Boulogne y de Vincennes	54-57
Plano general y grandes vías de circulación	1
Un Plano de París : plano completo (1 cm = 100 m) recortado en 59 páginas desplegables	2-60
El Metro : plano de las líneas urbanas	61-62
Los Autobuses : plano indicando los itinerarios de las líneas urbanas	63-72
Los teléfonos de urgencia . . . . Al final del volumen

Les rues de Paris

Streets of Paris
Straßen von Paris
Calles de París

Index alphabétique des rues de Paris

Les deux premières colonnes renvoient à la page et au carroyage qui permettent de localiser la rue sur le plan *(découpage cartographique, p. ▯)*. Dans certains cas, les lettres *N* (Nord) ou *S* (Sud) apportent une précision supplémentaire.

Les colonnes suivantes, sur fond bleu, indiquent le nom de la rue, ainsi que le ou les arrondissements dont elle dépend.

L'Association Valentin Haüy, 5 rue Duroc 75007 Paris, diffuse (prix 35 F) la liste alphabétique des rues de Paris, transcrite en écriture braille.

Index to the streets of Paris

The first two columns giving the page of plan and square reference, enable you to locate a street on the map *(key map p. ▯)*. In some cases the square references may be followed by the letters *N* (North) or *S* (South) indicating the position of the street more closely.
The following columns, on a blue background, give the street's name and its arrondissement, or two if it overlaps into a second.

Alphabetisches Straßenverzeichnis

Die beiden ersten Spalten enthalten die Angabe der Seite sowie die der Koordinaten des Planquadrates und erlauben Ihnen, die Straße auf dem Plan zu finden *(Seiteneinteilung s. S. ▯)*. Manchmal wurde ein *N* (Norden) oder *S* (Süden) hinzugefügt, wodurch die Lage noch genauer bestimmt ist.
In den folgenden Spalten auf blauem Grund sind der Name der Straße und die Nummer des bzw. der entsprechenden Arrondissements angegeben.

Índice alfabético de las calles de París

Las dos primeras columnas le remiten a la página del plano y a las coordenadas de la cuadrícula que permiten localizar con exactitud la calle en el plano *(división cartográfica pág. ▯)*. En algunos casos las letras *N* (Norte) o *S* (Sur) proporcionan una precisión complementaria.
Las columnas siguientes, en fondo azul, indican el nombre exacto de la calle, así como el o los distritos de que depende.

31	J13	Abbaye r. de l'	6
43-44	L14-L15	Abbé-Basset pl. de l'	5
53-54	P10-P11	Abbé-Carton r. de l'	14
43	L14-L13	Abbé-de-l'Epée r. de l'	5
56	R15	Abbé-G.-Henocque pl.	13
27	J6 N	Abbé-Gillet r. de l'	16
42	K11-L12	Abbé-Grégoire r. de l'	6
40	L7-N8	Abbé-Groult r. de l'	15
32	H16-J16	Abbé-Migne r. de l'	4
7	C14	Abbé-Patureau r. de l'	18
28	K8	Abbé-Roger-Derry r. de l'	15
26-27	K4-K5	Abbé-Roussel av. de l'	16
4	C8	Abbé-Rousselot r. de l'	17
19	D13	Abbesses pass. des	18
19	D13	Abbesses pl. des	18
7-19	D13	Abbesses r. des	18
20	E15	Abbeville r. d' nos 1-17, 2-16	10
		nos 19-fin, 18-fin	9
45	L18-K18	Abel r.	12
38	N3 N	Abel-Ferry r.	16
44-56	N15 S	Abel-Hovelacque r.	13
46	L19	Abel-Leblanc pass.	12
21	G18 N	Abel-Rabaud r.	11
18	D11	Abel-Truchet r.	17
31-20	G14-G15	Aboukir r. d'	2
7	C13 S	Abreuvoir r. de l'	18
16	E7	Acacias pass. des	17
16	E7 S	Acacias r. des	17
35	H21	Achille r.	20
54	R11	Achille-Luchaire r.	14
7	C13-B13	Achille-Martinet r.	18
44	M15	Adanson r.	5
23-35	G22	Adjudant-Réau r.	20
24	F23 S	Adjudant-Vincenot pl.	20
32	J15	Adolphe-Adam r.	4
40	M8	Adolphe-Chérioux pl.	15
54	P12 S	Adolphe-Focillon r.	14
31	H14 N	Adolphe-Jullien r.	1
18	D12	Adolphe-Max pl.	9
10	C20	Adolphe-Mille r.	19
53	R9-R10	Adolphe-Pinard bd	14
26	H4-G4	Adolphe-Yvon r.	16
22	F20 N	Adour villa de l'	19
26	J4 S	Adrien-Hébrard av.	16
19	F13	Adrien-Oudin pl.	9
35	J22 N	Adrienne cité	20
54	N12 S	Adrienne villa	14
42	N12 N	Adrienne-Simon villa	14
8	D16-C16	Affre r.	18
27	K5	Agar r.	16
19	E14	Agent-Bailly r. de l'	19
32-33	K16-K17	Agrippa-d'Aubigné r.	4
18	F11 S	d'Aguesseau r.	8
42	N11	Aide-Sociale sq. de l'	14
7	B14 S	Aimé-Lavy r.	18
16	D8 S	Aimé-Maillart pl.	17
56	R15-S15	Aimé-Morot r.	13
10	C19 N	Aisne r. de l'	19
21	F17 S	Aix r. d'	10
40	M8 S	Alain-Chartier r.	15
53	P9	Alain-Fournier sq.	14
28	K8	Alasseur r.	15
27-26	H5-H4	Albéric-Magnard r.	16
57	R18-P18	Albert r.	13
52	P7-P8	Albert-Bartholomé av.	15
52	P7	Albert-Bartholomé sq.	15
56	P16-N16	Albert-Bayet r.	13
41	K9	Albert-de-Lapparent r.	7
28	H7 N	Albert-de-Mun av.	16
7	B14	Albert-Kahn pl.	18
48	M23 N	Albert-Malet r.	12
29	G9 S	Albert-Ier cours	8
28	H7	Albert-Ier-de-Monaco av.	16
22	E20	Albert-Robida villa	19
4	D7-C7	Albert-Samain r.	17
54	R11	Albert-Sorel r.	14
21-20	G17-F16	Albert-Thomas r.	10
48	L24-K24	Albert-Willemetz r.	20
43	N14 S	Albin-Cachot sq.	13
56	R15	Albin-Haller r.	13
27	J6 N	Alboni r. de l'	16
27	J6 N	Alboni sq.	16
55	P13 N	d'Alembert r.	14
42	L11	Alençon r. d'	15
55-53	P14-N10	Alésia r. d'	14
54	P11	Alésia villa d'	14
23	D22-E22	Alexander-Fleming r.	19
41	M10	Alexandre pass.	15
40-41	K8-K9	Alexandre-Cabanel r.	15
16	D7	Alexandre-Charpentier r.	17
34-35	K20-J21	Alexandre-Dumas r.	
		nos 1-59, 2-72	11
		nos 61-fin, 74-fin	20
7	B14 N	Alexandre-Lécuyer imp.	18
21	E17 N	Alexandre-Parodi r.	10
23	D21 S	Alexandre-Ribot villa	19
29	H10 N	Alexandre III pont	8-7
20	G15 N	Alexandrie r. d'	2
34	J20	Alexandrine pass.	11
28	J8 S	Alexis-Carrel r.	15
27	J5	Alfred-Bruneau r.	16
26	K3	Alfred-Capus sq.	16
26	H4	Alfred-Dehodencq r.	16
26	H4	Alfred-Dehodencq sq.	16
17	E9	Alfred-de-Vigny r.	
		nos 1-9, 2-16	8
		nos 11-fin, 18-fin	17
53	P9 N	Alfred-Durand-Claye r.	14
57	S17 N	Alfred-Fouillé r.	13
4	C8 S	Alfred-Roll r.	17
19	D13 S	Alfred-Stevens pass.	9
19	D13 S	Alfred-Stevens r.	9
45	L17 N	Alger cour d'	12
30	G12 S	Alger r. d'	1
23	E22-D21	Algérie bd d'	19
21	F17	Alibert r.	10
53	P10 S	Alice sq.	14
46	K19 S	d'Aligre pl.	12
46	K19 S	d'Aligre r.	12
26	K3 N	Aliscamps sq. des	16
48	M23	Allard r.	12
		autres nos	Saint-Mandé
30	J12 N	Allent r.	7
41	M9 S	Alleray hameau d'	15
41	N9 N	Alleray pl. d'	15
40-41	M8-N9	Alleray r. d'	15
10	A19	Allier quai de l'	19
28	H8 S	Alma cité de l'	7
28	G8 S	Alma pl. de l'	
		nos 1 et 1 bis	16
		nos 2, 3-fin	8

28	H8	Alma pont de l'	16-8-7
32	H16 N	Alombert pass.	3
22	E20	Alouettes r. des	19
56	N16 S	Alpes pl. des	13
15	F6 N	Alphand av.	16
56	P15	Alphand r.	13
23	E21 N	Alphonse-Aulard r.	19
33	H18	Alphonse-Baudin r.	11
41	N10	Alphonse-Bertillon r.	15
54	P12 S	Alphonse-Daudet r.	14
5-4	D9 N	Alphonse-de-Neuville r.	17
30	K12	Alphonse-Deville pl.	6
39	L6 N	Alphonse-Humbert pl.	15
10	B19	Alphonse-Karr r.	19
43	M14 N	Alphonse-Laveran r.	5
24-23	G23-G22	Alphonse-Penaud r.	20
27	J6	Alphonse-XIII av.	16
20	E16	Alsace r. d'	10
23	E21 N	Alsace villa d'	19
46	L20	Alsace-Lorraine cour d'	12
23-22	D21-D20	Alsace-Lorraine r. d'	19
22-23	D20-E21	Amalia villa	19
34	G20	Amandiers imp. des	20
22-34	H20-G20	Amandiers r. des	20
19	F13	Amboise r. d'	2
20	D15 S	Ambroise-Paré r.	10
11-23	D21	Ambroise-Rendu av.	19
20	F15 N	Ambroise-Thomas r.	9
29	H9-J9	Amélie r.	7
23	F22	Amélie villa	20
33	J17-G17	Amelot r.	11
34	K20	Ameublement cité de l'	11
36	H23 S	Amiens sq. d'	20
15	F5-E6	Amiral-Bruix bd de l'	16
39	L5 N	Amiral-Cloué r. de l'	16
15	G6 N	Amiral-Courbet r. de l'	16
31	H14 S	Amiral-de-Coligny r. de l'	1
28	G7	Amiral-d'Estaing r. de l'	16
28	G8	Amiral de-Grasse pl.	20
48	N23 S	Amiral-La-Roncière-Le-Noury r. de l'	12
55	P14-R14	Amiral-Mouchez r. de l' nᵒˢ impairs 13ᵉ - nᵒˢ pairs	14
40	L8-M8	Amiral-Roussin r. de l'	15
8	B15	Amiraux r. des	18
5-4	D9-D8	Ampère r.	17
18	E12	Amsterdam imp. d'	8
18	E12-D12	Amsterdam r. d' nᵒˢ impairs	8
		nᵒˢ pairs	9
44-43	L15-L14	Amyot r.	5
16	F7-E7	Anatole-de-la-Forge r.	17
30	H12-H11	Anatole-France quai	7
31	J13-K13	Ancienne-Comédie r. de l'	6
32	H15 N	Ancre pass. de l'	3
27-26	J5-H4	d'Andigné r.	16
19	D13	André-Antoine r.	18
7-19	D13	André-Barsacq r.	18
6	A12-A11	André-Bréchet r.	17
39	K6-M5	André-Citroën quai	15
26	K4 N	André-Colledebœuf r.	16
10-22	D19	André-Danjon r.	19
7	D14 N	André-del-Sarte r.	18
55	P14 S	André-Dreyer sq.	13
22	D19	André-Dubois r.	19
19	D14	André-Gill r.	18
43	L13	André-Honnorat pl.	6
53	P10-P9	André-Lichtenberger sq.	14
31	H13 N	André-Malraux r.	1
15	E5	André-Maurois bd	16
7	B14	André-Messager r.	18
26	H4	André-Pascal r.	16
55	S13 N	André-Rivoire av.	14
29	K10	André-Tardieu pl.	7
52	P8	André-Theuriet r.	15
8	B15 S	d'Andrezieux allée	18
18	E11-D11	Andrieux r.	8
7	D13 N	Androuet r.	18
7	B13 N	Angélique-Compoint r.	18
7	B13 N	Angers imp. d'	18
9	C18	Anglais imp. des	19
32	K15	Anglais r. des	5
33	G18	Angoulême cité d'	11
32	K16	Anjou quai d'	4
18	G11-F11	Anjou r. d'	8
27	J6 S	Ankara r. d'	16
23-35	G21	Annam r. d'	20
22	E20	Annelets r. des	19
55	P13 S	Annibal cité	14
27	J6-J5	Annonciation r. de l'	16
41	M10	Anselme-Payen r.	15
19	F13 N	d'Antin cité	9
28	G9	d'Antin imp.	8
19	G13 N	d'Antin r.	2
27-26	J5-J4	Antoine-Arnauld r.	16
27-26	J5-J4	Antoine-Arnauld sq.	16
42	L11 S	Antoine-Bourdelle r.	15
54	P11 S	Antoine-Chantin r.	14
31	K14-K13	Antoine-Dubois r.	6
39	L6 N	Antoine-Hajje r.	15
22	F20 S	Antoine-Loubeyre cité	20
38	L4 N	Antoine-Roucher r.	16
33	K18	Antoine-Vollon r.	12
52	P8	Antonin-Mercié r.	15
19	D14 S	Anvers pl. d'	9
6	C11 N	Apennins r. des	17
20-21	E16-D17	Aqueduc r. de l'	10
11	D21-C21	Aquitaine sq. d'	19
44-43	N15-N13	Arago bd nᵒˢ 1-73, 2-82	13
		nᵒˢ 75-fin, 84-fin	14
43	N14 N	Arago sq.	13
44-43	M15-14	Arbalète r. de l'	5
31	H14 S	Arbre-Sec r. de l'	1
53	P9	Arbustes r. des	14
18	F11	Arcade r. de l'	8
16	E7 S	Arc-de-Triomphe r. de l'	17
9	C18-B18	Archereau r.	19
32	K15	Archevêché pont de l'	4-5
32	K15 N	Archevêché quai de l'	4
32	J15-H16	Archives r. des nᵒˢ 1-41, 2-56	4
		nᵒˢ 43-fin, 58-fin	3
32	J15	Arcole pont d'	4
32	J15 S	Arcole r. d'	4
55	R13	Arcueil porte d'	14
55	R14 S	Arcueil r. d'	14
10	C20	Ardennes r. des	19
44	L15	Arènes r. des	5
17	F10 N	d'Argenson r.	8
31	H13-G13	Argenteuil r. d'	1
15	G6 N	Argentine cité de l'	16
16	F7 N	Argentine r. d'	16
10	B19	Argonne pl. de l'	19
10	B20-B19	Argonne r. de l'	19
31	G14 S	Argout r. d'	2
37	M2 N	Arioste r. de l'	16
30	H11	Aristide-Briand r.	7
7-19	D13 N	Aristide-Bruant r.	18
16	E7	d'Armaillé r.	17
6	B12 S	Armand villa	17
22	D19 S	Armand-Carrel pl.	19
22-21	D19-D18	Armand-Carrel r.	19

8

		A	
22	E20 *N*	Armand-Fallières villa	19
7	C13	Armand-Gauthier r.	18
41-42	L10-M11	Armand-Moisant r.	15
48	N23-M23	Armand-Rousseau av.	12
7	C13 *S*	Armée-d'Orient r. de l'	18
15	D6 *S*	Armenonville r. d'	
		nos 1-11 bis, 2-10	17
		nos 13-fin, 12-fin	Neuilly
41	M10	Armorique r. de l'	15
6	A11 *S*	Arnault-Tzanck pl.	17
33	H17 *S*	Arquebusiers r. des	3
44	L15 *N*	Arras r. d'	5
42	L11 *S*	Arrivée r. de l'	15
33-45	K17	Arsenal r. de l'	4
16	F8	Arsène-Houssaye r.	8
41	M10	d'Arsonval r.	15
6	B12	Arthur-Brière r.	17
21	F18	Arthur-Groussier r.	10
7	A13 *S*	Arthur-Ranc r.	18
22	E20	Arthur-Rozier r.	19
55	P13 *S*	Artistes r. des	14
17	F9	Artois r. d'	8
15	D6 *S*	Arts av. des	7
47	L21 *N*	Arts imp. des	12
42	N11 *N*	Arts pass. des	14
31	J13 *N*	Arts pont des	1-6
6	C12 *S*	Arts villa des	18
33	H18 *S*	Asile pass. de l'	11
33	H18 *S*	Asile-Popincourt r. de l'	11
4-5	B8-B9	Asnières porte d'	17
42-43	K12-M13	d'Assas r.	6
42	N11	Asseline r.	14
27-26	K5-J4	Assomption r. de l'	16
8	F11	d'Astorg r.	8
42	L11	Astrolabe imp. de l'	15
18	E12	Athènes r. d'	9
21	F18 *N*	Atlas pass. de l'	19
21	F18-E18	Atlas r. de l'	19
18	F12	Auber r.	9
9	D17 *N*	Aubervilliers imp. d'	19
9	A18	Aubervilliers porte d'	19
9	D17-A18	Aubervilliers r. d'	
		nos impairs 18e - nos pairs	19
16	D7-D8	Aublet villa	17
32	J16 *N*	Aubriot r.	4
35	J21 *N*	Aubry cité	20
32	H15 *S*	Aubry-le-Boucher r.	4
55	P13 *S*	Aude r. de l'	14
7-19	D13 *N*	Audran r.	18
35	K21	Auger r.	20
28-29	J8-J9	Augereau r.	7
21	G18	Auguste-Barbier r.	11
10	A20	Auguste-Baron pl.	19
28	K7-K8	Auguste-Bartholdi r.	15
56-55	P15-N14	Auguste-Blanqui bd	13
57	P17 *N*	Auguste-Blanqui villa	13
54	P11 *S*	Auguste-Cain r.	14
40	N7	Auguste-Chabrières cité	15
40	N7	Auguste-Chabrières r.	15
36	J23	Auguste-Chapuis r.	20
43	L13	Auguste-Comte r.	6
40	L8	Auguste-Dorchain r.	15
55	R14	Auguste-Lançon r.	13
34	J19 *N*	Auguste-Laurent r.	11
38	M4	Auguste-Maquet r.	16
34	H20	Auguste-Métivier pl.	20
34	G20 *S*	Auguste-Métivier r.	20
42	M11 *S*	Auguste-Mie r.	14
56	R16 *N*	Auguste-Perret r.	13
53	P9	Auguste-Renoir sq.	14
16	F8-G7	Auguste-Vacquerie r.	16
39	L5	Auguste-Vitu r.	15
23	E21 *S*	Augustin-Thierry r.	19
19	E13	Aumale r. d'	9
56	P16 *S*	Aumont r.	13
16	D7	Aumont-Thiéville r.	17
34	H20 *S*	Aunay imp. d'	11
15	D6 *S*	d'Aurelle-de-Paladines bd	17
45-44	M17-M16	Austerlitz cité d'	13
45	L17	Austerlitz pont d'	12-5-13
45	M18-L17	Austerlitz port d'	13
45	M18-L17	Austerlitz quai d'	13
45	L18 *N*	Austerlitz r. d'	12
37	L2-L1	Auteuil bd d' nos 1-7 et 4	16
		autres nos	Boulogne
38	L4 *N*	Auteuil pl. d'	16
39-38	K5-M4	Auteuil port d'	16
37	K2	Auteuil porte d'	16
38	K4-K3	Auteuil r. d'	16
32	K16 *N*	Ave Maria r. de l'	4
34	G19 *S*	Avenir cité de l'	11
23	F21 *S*	Avenir r. de l'	20
16-15	F7-F6	Avenue-du-Bois sq. de l'	16
15	F5	Avenue-Foch sq. de l'	16
4	C8	Aveyron sq. de l'	17
40	K8 *S*	Avre r. de l'	15
35-36	K21-J23	Avron r. d'	20
7	D14 *N*	Azaïs r.	18

b

30-29	K12-K10	Babylone r. de	7
30	H12-K11	Bac r. du	7
31	G14 *S*	Bachaumont r.	2
7	C14	Bachelet r.	18
36	G23	Bagnolet porte de	20
35-36	J21-H23	Bagnolet r. de	20
7	C14	Baigneur r. du	18
31	H14 *S*	Baillet r.	1
31	H14	Bailleul r.	1
54	P11	Baillou r.	14
32	G16 *S*	Bailly r.	3
39	M5 *S*	Balard pl.	15
39	L5-M5	Balard r.	15
22-34	G19	Baleine imp. de la	11
35	H22	Balkans r. des	20
18	D12 *S*	Ballu r.	9
18	D12 *S*	Ballu villa	9
16	D8	Balny-d'Avricourt r.	17
16-17	F8-E9	Balzac r.	8
19-31	G14	Banque r. de la	2
44	N16-N15	Banquier r. du	13
57	P17	Baptiste-Renard r.	13
10	C19-B19	Barbanègre r.	19
8	D15-C15	Barbès bd	18

30	J11-K11	Barbet-de-Jouy r.	7
32	J16-H16	Barbette r.	3
28	J8	Barbey-d'Aurevilly av.	
39	L5 *N*	Barcelone pl. de	16
53	P10 *N*	Bardinet r.	14
41	M9-M10	Bargue r.	15
6	B11	Baron r.	17
56	P15	Barrault pass.	13
56-55	P15-R14	Barrault r.	13
22	E19 *S*	Barrelet-de-Ricou r.	19
32	J16	Barres r. des	4
46	K19 *S*	Barrier imp.	12
32	H16 *N*	Barrois pass.	3
21	D17	Barthelémy pass.	10
41	L10	Barthelémy r.	15
17	D9 *S*	Barye r.	17
32	G15 *S*	Basfour pass.	2
34	J19	Basfroi pass.	11
34	J19	Basfroi r.	11
23	F22 *S*	Basilide-Fossard imp.	20
16	G8-F8	Bassano r. de	
		nos 1-21, 2-32	16
		nos 23-fin, 34-fin	8
44	K15 *S*	Basse-des-Carmes r.	5
33	K17	Bassompierre r.	4
21	E18-D18	Baste r.	19
38	K4 *S*	Bastien-Lepage r.	16
45-33	L17-K17	Bastille bd de la	12
33	J17-K17	Bastille pl. de la	
		nos impairs	4
		nos 2, 4, 6	12
		nos 8-14	11
33	J17	Bastille r. de la	4
18	D12-D11	Batignolles bd des	
		nos impairs 8e - nos pairs	17
6-18	D11	Batignolles r. des	17
27	J5	Bauches r. des	16
8	B15 *S*	Baudelique r.	18
57	N17 *S*	Baudoin r.	13
32	J16	Baudoyer pl.	4
56	R16 *N*	Baudran imp.	13
57-56	R17-P16	Baudricourt imp.	13
57-56	P17-R16	Baudricourt r.	13
54	N11 *S*	Bauer cité	14
46	M20 *N*	Baulant r.	12
23	G22 *N*	Baumann villa	20
40	M8	Bausset r.	15
29	G9	Bayard r.	8
16	E8-D7	Bayen r.	17
33	J18	Bayvet cité	11
44	M15	Bazeilles r. de	5
33	J17	Béarn r. de	3
28-40	K7	Béatrix-Dussane r.	15
32	H15	Beaubourg imp.	3
32	H15-G16	Beaubourg r.	
		nos 1-19 et 2-20	4
		nos 21-fin et 22-fin	3
32	H16 *N*	Beauce r. de	3
16-17	E8-E9	Beaucour av.	8
35	K22*N*	Beaufils pass.	20
39	K6 *S*	Beaugrenelle r.	15
34	J20	Beauharnais cité	11
31	G13 *S*	Beaujolais galerie de	1
31	G13	Beaujolais pass. de	1
31	G13	Beaujolais r. de	1
16	F8 *N*	Beaujon r.	8
17	E10 *S*	Beaujon sq.	8
33	J17-H17	Beaumarchais bd nos 1-31	4
		nos 33-fin	3
		nos pairs	11
30	H12-J12	Beaune r. de	7
54	R12 *N*	Beaunier r.	14
20	G15 *N*	Beauregard r.	2
32	G15 *S*	Beaurepaire cité	2
21	G17-F17	Beaurepaire r.	10
26	J4 *N*	Beauséjour bd de	16
26	J4 *N*	Beauséjour villa de	16
33	K17-J17	Beautreillis r.	4
17	F10 *S*	Beauvau pl.	8
31	J13	Beaux-Arts r. des	6
46	L19-K19	Beccaria r.	12
7	C14	Becquerel r.	18
28	J7 *N*	Beethoven r.	16
47	L21 *N*	Bel-Air av. du	12
33	K18	Bel-Air cour du	12
48	L23	Bel-Air villa du	12
34	J19	Belfort r. de	11
29-28	J9-J8	Belgrade r. de	7
35	G21-G22	Belgrand r.	20
20	D15	Belhomme r.	18
15	E6 *N*	Belidor r.	17
41	L9 *N*	Bellart r.	15
30	H12-J11	Bellechasse r. de	7
20-19	E15-E14	de Bellefond r.	9
15	G6 *N*	Belles-Feuilles imp. des	16
27-15	G6-F5	Belles-Feuilles r. des	16
22	G19-F19	Belleville bd nos impairs	11
		nos pairs	20
22-23	F19-E22	Belleville r. de	
		nos impairs	19
		nos pairs	20
23	E21	Bellevue r. de	19
23	E21 *N*	Bellevue villa de	19
7-6	B14-B12	Belliard r.	18
8	A15	Belliard r.	18
6	B12	Belliard villa	18
56	R15 *N*	Bellier-Dedouvre r.	13
45	M18 *S*	de Bellièvre r.	13
27	H6	Bellini r.	16
9	D17 *N*	Bellot r.	19
16	G7 *N*	de Belloy r.	16
20	E15	de Belzunce r.	10
31	G14 *S*	Ben-Aïad pass.	2
54	N11 *S*	Bénard r.	14
10	B19	Benjamin-Constant r.	16
27	G5 *S*	Benjamin-Godard r.	16
15	G5 *N*	Benouville r.	16
27	K5 *N*	Béranger hameau	16
33	G17 *S*	Béranger r.	3
33	J17 *S*	Bérard cour	4
54	N15 *N*	Berbier-du-Mets r.	13
45-46	M18-20	Bercy bd de	12
45	L18	Bercy cour de	12
45	M18	Bercy pont de	12-13
58-45	P20-M18	Bercy port de	12
59	P21	Bercy porte de	12
58-45	P20-M18	Bercy quai de	12
46-45	N20-K17	Bercy r. de	12
35	J21-K21	Bergame imp. de	20
32-31	H15-H14	Berger r.	1
19	F14	Bergère cité	9
19	F14	Bergère r.	9
39	L6-M6	Bergers r. des	15
42	K11-L11	Bérite r. de	6
15	F6 *N*	Berlioz r.	9
32-44	K15	Bernardins r. des	5
32	H15	Bernard-de-Clairvaux r.	4
48	L24	Bernard-Lecache r.	12
30	K12 *N*	Bernard-Palissy r.	6
18	E11-D11	Berne r. de	8
18	E11 *N*	Bernouilli r.	8

17	F9	**Berri** r. de	8
18	G11 *N*	**Berryer** cité	8
17	F9 *N*	**Berryer** r.	8
32	H15	**Berthaud** imp.	3
7	D14-D13	**Berthe** r.	18
5-4	B10-D7	**Berthier** bd	17
4	D7 *N*	**Berthier** villa	17
43	M14	**Berthollet** r.	5
16	F8-E8	**Bertie-Albrecht** av.	8
31	J14-H14	**Bertin-Poirée** r.	1
27	J6	**Berton** r.	16
34	H19 *N*	**Bertrand** cité	11
20	D15	**Bervic** r.	18
6	B11	**Berzélius** pass.	17
6	C11-B11	**Berzélius** r.	17
6	B11	**Berzélius Prolongée** r.	17
33	H18 *N*	**Beslay** pass.	11
6-5	B12-B10	**Bessières** bd	17
5	B10	**Bessières** r.	17
53	N9-P9	**Bessin** r. du	15
32	K16	**Béthune** quai de	4
18	D11 *S*	**Beudant** r.	17
55-54	P13-P12	**Bezout** r.	14
21	G17-F17	**Bichat** r.	10
35-22	G21-G20	**Bidassoa** r. de la	20
46	L19	**Bidault** ruelle	12
7	B13 *N*	**Bienaimé** cité	18
18-17	E11-E10	**Bienfaisance** r. de la	8
42	L11 *S*	**Bienvenüe** pl.	15
32-44	K15	**Bièvre** r. de la	5
46	M20	**Bignon** r.	12
54	P12	**Bigorre** r. de	14
20	D19	**Binder** pass.	19
18	D12	**Biot** r.	17
33	J17 *S*	**Birague** r. de	4
28	J7	**Bir-Hakeim** pont de	16-15
33-45	K17	**Biscornet** r.	12
22	F19 *S*	**Bisson** cité	20
22	F19 *S*	**Bisson** r.	20
10	C19	**Bitche** pl. de	19
29	K10 *N*	**Bixio** r.	7
6-18	D11 *N*	**Bizerte** r. de	17
14	L15	**Blainville** r.	5
42	L12-L11	**Blaise-Desgoffe** r.	6
36	J23 *N*	**Blanchard** r.	20
53	P9 *N*	**Blanche** cité	14
19-18	D13-D12	**Blanche** pl.	9
19-18	E13-D12	**Blanche** r.	9
22	D20 *S*	**Blanche-Antoinette** r.	19
32	J16-H16	**Blancs-Manteaux** r. des	4
20-19	E15-E14	**Bleue** r.	9
41-40	L9-M7	**Blomet** r.	15
20	G16-G15	**Blondel** r.	3
34	H19-G19	**Bluets** r. des	11
56	P15-R15	**Bobillot** r.	13
53	P9 *N*	**Bocage** r. du	14
29-28	G9-G8	**Boccador** r. du	8
19	E14-D14	**Bochart-de-Saron** r.	9
22	E20 *N*	**Boërs** villa des	19
32	H15 *S*	**Bœuf** imp. du	4
44	K15 *S*	**Bœufs** imp. des	5
19	F13 *S*	**Boïeldieu** pl.	2
38	L3	**Boileau** hameau	16
38	L4-M3	**Boileau** r.	16
38	L3	**Boileau** villa	16
8	C15-B15	**Boinod** r.	18
23	E21-E22	**Bois** r. des	19
16-15	F7-F6	**Bois-de-Boulogne** r. du	16
6	A11	**Bois-le-Prêtre** bd du	
		n⁰ˢ 1-51, 2-42	17
		n⁰ˢ 53-fin, 42 bis-fin	Clichy
27	J5 *N*	**Bois-le-Vent** r.	16
28-15	G7-G6	**Boissière** r.	16
28	G7 *S*	**Boissière** villa	16
20	D15	**Boissieu** r.	18
43-42	M13-12	**Boissonade** r.	14
18	G11-F11	**Boissy-d'Anglas** r.	8
56	P15 *S*	**Boiton** pass.	13
22	F19-E19	**Bolivar** sq.	19
31-43	J13-K13	**Bonaparte** r.	6
20	F16 *N*	**Bonhoure** cité	10
7	C14 *S*	**Bonne** r. de la	18
33	K18 *N*	**Bonne-Graine** pass.	11
20	F15 *S*	**Bonne-Nouvelle** bd de	
		n⁰ˢ impairs 2ᵉ - n⁰ˢ pairs	10
20	F15 *S*	**Bonne-Nouvelle** imp. de	10
7	B13 *N*	**Bonnet** r.	18
34	J19	**Bon-Secours** imp.	11
31	H13 *N*	**Bons-Enfants** r. des	1
32	G16 *S*	**Borda** r.	3
23	F21-F22	**Borrégo** r. du	20
23	F22	**Borrégo** villa du	20
41	M9 *N*	**Borromée** r.	15
38	K4 *S*	**Bosio** r.	16
29	H9-J9	**Bosquet** av.	7
29	J9	**Bosquet** r.	7
29	H9	**Bosquet** villa	7
20	E15	**Bossuet** r.	10
22	F20 *S*	**Botha** r.	20
22	E19-E20	**Botzaris** r.	19
20	G16-F16	**Bouchardon** r.	10
31	H14 *S*	**Boucher** r.	1
41	L9-L10	**Bouchut** r.	15
39	L6 *S*	**Boucicaut** r.	15
9-8	B17-B16	**Boucry** r.	18
23	G22 *N*	**Boudin** pass.	20
26-38	K4 *S*	**Boudon** av.	16
18	F12	**Boudreau** r.	9
26-38	K3	**Boufflers** av. de	16
29	J9	**Bougainville** r.	7
33	M6-M5	**Bouilloux-Lafont** r.	15
27	J5 *S*	**Boulainvilliers** hameau	16
27	K5-J5	**Boulainvilliers** r. de	16
44	L15	**Boulangers** r. des	5
42-54	N12	**Boulard** r.	14
6	B11	**Boulay** pass.	17
5-6	B10-B11	**Boulay** r.	17
33	K18 *N*	**Boule-Blanche** pass.	12
19	F14	**Boule-Rouge** imp. de la	9
19	F14	**Boule-Rouge** r. de la	9
34-46	K20	**Boulets** r. des	11
53-54	P10-P15	**Boulitte** r.	11
33	J18	**Boulle** r.	11
16	E7-E8	**Boulnois** pl.	17
31	H14 *N*	**Bouloi** r. du	1
28	G7 *S*	**Bouquet-de-Longchamp** r.	16
32	K16-J15	**Bourbon** quai de	4
31	J13 *S*	**Bourbon-le-Château** r. de	6
19	E13 *S*	**Bourdaloue** r.	9
17-29	G9	**Bourdin** imp.	8
33-45	K17	**Bourdon** bd	4
31	H14 *S*	**Bourdonnais** imp. des	1
31	J14-H14	**Bourdonnais** r. des	1
21	E18-D18	**Bouret** r.	19
32	G15 *S*	**Bourg-l'Abbé** pass. du	2
32	H15 *N*	**Bourg-l'Abbé** r. du	3
30-29	H11-J10	**Bourgogne** r. de	7
57	R17 *N*	**Bourgoin** imp.	13

57	R17 N	Bourgoin pass.	13
56	R16	Bourgon r.	13
32	J16	Bourg-Tibourg r. du	4
18	D11 S	Boursault imp.	17
6-18	D11	Boursault r.	17
19	G14 N	Bourse pl. de la	2
19	G14-G13	Bourse r. de la	2
41-40	M9-M8	Bourseul r.	15
55	R14-P14	Boussingault r.	13
32	K15 N	Boutarel r.	4
31	K14	Boutebrie r.	5
55	P14	Boutin r.	13
20-21	E16-E17	Boutron imp.	10
57	R18	Boutroux av.	13
43	K14 S	Bouvart imp.	5
34	K20 N	Bouvier r.	11
35-47	K21	Bouvines av. de	11
35-47	K21	Bouvines r. de	11
35-22	G21-G20	Boyer r.	20
42	N11 S	Boyer-Barret r.	14
20	F16-F15	Brady pass.	10
52	P8	Brancion porte	15
41-52	N9-P8	Brancion r.	15
52	P8	Brancion sq.	15
28	H8-J7	Branly quai	
		nos 1-71	7
		nos 73-fin	15
32	H15	Brantôme r.	3
32	H16 S	Braque r. de	3
27	K6	Brazzaville pl. de	15
42	L12 S	Bréa r.	6
47	N21-M21	Brèche-aux-Loups r.	12
33	J18	Bréguet r.	11
17	D9	Brémontier r.	17
17	D9	Brésil pl. du	17
38	M3 S	Bresse sq. de la	16
33-32	H17-H16	Bretagne r. de	3
29-41	K10-L10	Breteuil av. de	
		nos 1-69, 2-76	7
		nos 71-fin, 78-fin	15
41	L10 N	Breteuil pl. de	
		nos 1-11, 2 seulement	7
		nos 13-fin, 4-fin	15
23-35	G22	Bretonneau r.	20
21	F18 S	Bretons cour des	10
32	K16	Bretonvilliers r. de	4
16	E8 S	Brey r.	17
54	P12-N12	Brézin r.	14
19	E14 S	Briare imp.	9
6	D11 N	Bridaine r.	17
21	E18 N	Brie pass. de la	19
47	L22	Briens sentier	12
28	G8 S	Brignole r.	16
56-55	R15-R14	Brillat-Savarin r.	13
19	D14	Briquet pass.	18
19	D14	Briquet r.	18
53	P9 S	Briqueterie r. de la	14
32	H15	Brisemiche r.	4
45	K17 S	Brissac r. de	4
23	G21 N	Brizeux sq.	20
44-43	M15-N14	Broca r.	
		nos 1-49, 2-52	5
		nos 51-fin, 54-fin	13
5-6	C10-C11	Brochant r.	17
19	G14 N	Brongniart r.	2
32	J15	de Brosse r.	4
7	C13	Brouillards allée des	18
55	P13	Broussais r.	14
41	M10 N	Brown-Séquard r.	15
45	N17 N	Bruant r.	13
55	P13	Bruller r.	13
34-46	K19	Brulon pass.	12
53-54	P9-R11	Brune bd	14
54	P11 S	Brune villa	14
16	E7	Brunel r.	17
58	R20-R19	Bruneseau r.	13
23	D21	Brunet porte	19
4	C8	Brunetière av.	17
45-46	L18-L19	Brunoy pass.	12
18	D12	Bruxelles r. de	9
18	E12 N	Bucarest r. de	8
32-31	K15-K14	Bûcherie r. de la	5
31	J13 S	de Buci carr.	6
31	J13 S	de Buci r.	6
18	E12	Budapest pl. de	9
18	E12 S	Budapest r. de	9
32	K16	Budé r.	4
28	J7	Buenos Aires r. de	7
19	F14-E14	Buffault r.	9
45-44	L17-M16	Buffon r.	5
15	G6-F5	Bugeaud av.	16
38	L4 N	Buis r. du	16
21	F18	Buisson-St-Louis pass.	10
21	F18	Buisson-St-Louis r. du	10
33-34	J18-J19	Bullourde pass.	11
56	P15 S	Buot r.	13
35	K21 N	Bureau imp. du	11
35	J21 S	Bureau pass. du	11
21	F18-E18	Burnouf r.	19
7	D13 N	Burq r.	18
56	P15	Butte-aux-Cailles r.	13
9	C17	Buzelin r.	18
47-35	K22-J21	Buzenval r. de	20

C

55	P14-P13	Cabanis r.	14
55	R14 S	Cacheux r.	13
19	F14-E14	Cadet r.	9
40	N7	Cadix r. de	15
19	D14	Cadran imp. du	18
32-33	H16-H17	Caffarelli r.	3
56	R15-S15	Caffieri av.	18
11	D21 N	Cahors r. de	19
20	D16	Cail r.	10
33	J18 S	Caillard imp.	11
56	R16	Caillaux r.	13
48	L23-M23	Cailletet r.	12
9-21	D17 N	Caillié r.	18
20	G15 N	Caire galerie du	2
20	G15	Caire pass. du	2
20	G15	Caire pl. du	2
32	G15	Caire r. du	2
18	D12 S	Calais r. de	9
7	B13	Calmels imp.	18
7	B14-B13	Calmels r.	18

Arr.	Grid	Name	Page
	B13 S	Calmels prolongée r.	18
	D14 N	Calvaire pl. du	18
	D14 N	Calvaire r. du	18
8	F11	Cambacérès r.	8
3	E21	Cambo r. de	19
5	G21 S	Cambodge r. du	20
3-30	G12	Cambon r.	1
3	B19	Cambrai r. de	19
	K8-L8	Cambronne pl.	15
3-41	L8-M9	Cambronne r.	15
3	P9	Camélias r. des	14
	A12	Camille-Blaisot r.	17
4	J19-H19	Camille-Desmoulins r.	11
	A13-A14	Camille-Flammarion r.	18
3	M13 N	Camille-Jullian pl.	6
	D12 N	Camille-Tahan r.	18
7	H6 S	de Camoëns av.	16
3-42	M13-12	Campagne-Première r.	14
4	N16	Campo-Formio r. de	13
3	P9	Camulogène r.	15
3	G9-G10	Canada pl. du	8
	C17	Canada r. du	18
3	L23	Canart imp.	12
4	K19	Candie r. de	11
4	M15	de Candolle r.	5
4	K13 N	Canettes r. des	6
4	N10	du Cange r.	14
4-43	K13	Canivet r. du	6
7	M21 S	Cannebière r.	12
7	P18 S	Cantagrel r.	13
3	J18 S	Cantal cour du	11
5-36	G22-G23	Capitaine-Ferber r. du	20
	C12 N	Capitaine-Lagache r. du	17
	C12	Capitaine-Madon r. du	18
3-35	G22	Capitaine-Marchal r. du	20
3	L6	Capitaine-Ménard r. du	15
5-38	K4 S	Capitaine-Olchanski r. du	16
3	J7 S	Capitaine-Scott r. du	15
3	G23 S	Capitaine-Tarron r. du	20
	D15	Caplat r.	18
	C7 S	Caporal-Peugeot r. du	17
7	N21 N	Capri r. de	12
	D12 N	Capron r.	18
3-18	F13-F12	Capucines bd des	
		nos impairs	2
		nos pairs	9
3	G12 N	Capucines r. des	
		nos impairs 1er - nos pairs	2
	M8	Carcel r.	15
5	B11-B10	Cardan r.	17
5	H22-J22	Cardeurs sq. des	20
4	J13 S	Cardinale r.	6
3	K8	Cardinal-Amette pl. du	15
	D14 N	Cardinal-Dubois r. du	18
	D14-C14	Cardinal-Guibert r. du	10
7	N22	Cardinal-Lavigerie pl.	12
4	K15 S	Cardinal-Lemoine cité du	5
4	K15-L15	Cardinal-Lemoine r. du	5
3	E12-D12	Cardinal-Mercier r.	9
	D10 N	Cardinet pass.	17
5-6	D8-C11	Cardinet r.	17
2	E20	Carducci r.	19
3	M4-N4	Carlo-Sarrabezolles r.	15
4-43	K15-K14	Carmes r. des	5
3	F7-E7	Carnot av.	17
3	L23-M23	Carnot bd	12
3	B12 N	Carnot villa	17
3	D11	Caroline r.	17
3	E22	Carolus-Duran r.	19
33	J17	Caron r.	4
6-7	C12-C13	Carpeaux r.	18
41-40	L9-L8	Carrier-Belleuse r.	15
34	J20	Carrière-Mainguet imp.	11
27	J6 N	Carrières imp. des	16
23	D21	Carrières-d'Amérique r.	19
31	H13	Carrousel pl. du	1
31	H13 S	Carrousel pont du	1-7
36	G23-H23	Cartellier av.	20
40	M7	Casablanca r. de	15
22	G20-F20	Cascades r. des	20
31-43	K13	Casimir-Delavigne r.	6
30	J11 N	Casimir-Périer r.	7
42	K12	Cassette r.	6
43	M13 S	Cassini r.	14
41-53	N10-P9	Castagnary r.	15
35	J21 S	Casteggio imp. de	20
18	F12-F11	de Castellane r.	8
33	K17	Castex r.	4
30	G12 S	Castiglione r. de	1
31	G14 S	Catinat r.	1
4	D7-C7	Catulle-Mendès r.	17
7-19	D13 N	Cauchois r.	18
39	L5-M6	Cauchy r.	15
6-7	D12-C14	Caulaincourt r.	18
7	C13	Caulaincourt sq.	18
18	F12	de Caumartin r.	9
28-40	K8	Cavalerie r. de la	15
6	D12 N	Cavallotti r.	18
8	C16-C15	Cavé r.	18
22	D19	Cavendish r.	19
7-19	D14 N	Cazotte r.	18
17	K16 N	Célestins port des	4
32	K16 N	Célestins quai des	4
42	N11 N	Cels imp.	14
42	N12-M11	Cels r.	14
34	G20	Cendriers r. des	20
44	M16-M15	Censier r.	5
41	L9 N	Cépré r.	15
33	K17	Cerisaie r. de la	4
17	G9 N	Cerisoles r. de	8
5	D9 N	Cernuschi r.	17
18	E11 S	César-Caire av.	8
41	L10-L9	César-Franck r.	15
34	K19-K20	Cesselin imp.	11
39	L5-M6	Cévennes r. des	15
31	G13	Chabanais r.	2
46	N20 N	Chablis r. de	12
20	E15 S	Chabrol cité de	10
20	E16-E15	Chabrol r. de	10
48	L23-L24	du Chaffault r.	12
16-28	G8	Chaillot r. de	16
16	G8	Chaillot sq. de	16
30	J12-K12	Chaise r. de la	7
5	B10-C10	Chalabre imp.	17
21	F18	Chalet r. du	10
26	J4	Chalets av. des	16
16	F7 N	Chalgrin r.	16
46	L19-K19	Chaligny r.	12
45	L18	Chalon cour de	12
45	L18	Chalon imp.	12
46-45	L19-L18	Chalon r. de	12
46	M19	Chambertin r. de	12
53	N9-P9	Chambéry r. de	15
29	G9	Chambiges r.	8
26	K4	Chamfort r.	16
35	J22 S	Champagne cité	20
30	J11 N	Champagny r. de	7
28	K8	Champaubert av. de	15
55	N14 S	Champ-de-l'Alouette r. du	13

29	J9	Champ-de-Mars r. du	7
4	D7	Champerret porte de	17
28	J8 *S*	Champfleury r.	7
7-8	B14-B15	Championnet pass.	18
8-6	B15-B12	Championnet r.	18
6	B12	Championnet villa	18
7	B13 *N*	Champ-Marie pass. du	13
31-43	K14 *S*	Champollion r.	5
17	F9 *S*	Les Champs galerie	8
17	F9 *S*	Champs-Élysées arcades	8
30-16	G11-F8	Champs-Élysées av. des	8
29	H10 *N*	Champs-Élysées port des	8
17	G10-G9	Champs-Élysées rd-pt des	8
30	K11 *N*	de Chanaleilles r.	7
15	F5 *S*	Chancelier-Adenauer pl. du	16
40	M7	Chandon imp.	15
38	L3 *N*	Chanez r.	16
38	L3 *N*	Chanez villa	16
48	L23	Changarnier r.	12
31	J14	Change pont au	1-4
32	K15-J15	Chanoinesse r.	4
26	G4	Chantemesse av.	16
33	K18	Chantier pass. du	12
44	K16-K15	Chantiers r. des	5
19	E14	Chantilly r. de	9
32	J15 *S*	Chantres r. des	4
57	N18 *S*	Chanvin pass.	13
34	K19-K20	Chanzy r.	11
15	E6	Chapelle av. de la	17
21-20	D17-D15	Chapelle bd de la	
		nos impairs	10
		nos pairs	18
8	C16 *S*	Chapelle cité de la	18
8	B16 *S*	Chapelle imp. de la	18
20	D16	Chapelle pl. de la	18
8	A16	Chapelle porte de la	18
8	C16-A16	Chapelle r. de la	18
32	H16-H15	Chapon r.	3
19	D14	Chappe r.	18
19	D13 *S*	Chaptal cité	9
19-18	E13-D12	Chaptal r.	9
38	M4 *N*	Chapu r.	16
55	R14	Charbonnel r.	13
20	D15	Charbonnière r. de la	18
41	L9-L10	Charbonniers pass. des	15
57	N18-P18	Charcot r.	13
28	H7-J7	Chardin r.	16
38	L4-M3	Chardon-Lagache r.	16
10	B20-A19	Charente quai de la	19
59	P22	Charenton porte de	12
33-47	K18-N21	Charenton r. de	12
32	J16 *S*	Charlemagne pass.	4
32	J16 *S*	Charlemagne r.	4
6	B12 *N*	Charles-Albert pass.	18
45-34	K18-K19	Charles-Baudelaire r.	12
47	L22	Charles-Bénard villa	12
7	B14 *S*	Charles-Bernard pl.	18
46	L19 *S*	Charles-Bossut r.	12
33-32	K17-K16	Charles-V r.	4
24	E23 *S*	Charles-Cros r.	20
34-33	J19-J18	Charles-Dallery pass.	11
47	N22	Charles-de-Foucauld av.	12
16	F7-F8	Charles-de-Gaulle pl.	8-16-17
34	K19 *N*	Charles-Delescluze r.	11
27	J6	Charles-Dickens r.	16
27	J6 *N*	Charles-Dickens sq.	16
42	N12	Charles-Divry r.	
19	D14	Charles-Dullin pl.	
36	K23	Charles-et-Robert r.	
5-6	C10-C11	Charles-Fillion pl.	
28	J7-K8	Charles-Floquet av.	
56	R15-P15	Charles-Fourier r.	
23	F21	Charles-Friedel r.	
18	F12 *S*	Charles-Garnier pl.	
8	D9 *N*	Charles-Gerhardt r.	
29	G10	Charles-Girault av.	
19	E14	Charles-Godon cité	
9	A17	Charles-Hermite r.	
15	G5 *N*	Charles-Lamoureux r.	
41	L9 *S*	Charles-Laurent sq.	
9	A17	Charles-Lauth r.	
40	M7 *N*	Charles-Lecocq r.	
54	R11	Charles-Le-Goffic r.	
33	H17	Charles-Luizet r.	
38	M3 *N*	Charles-Marie-Widor r.	
39	L6 *N*	Charles-Michels pl.	
23	E22	Charles-Monselet r.	
57-56	P17-P16	Charles-Moureu r.	
46	L20	Charles-Nicolle r.	
19	D14 *N*	Charles-Nodier r.	
34	K19-K20	Charles-Petit imp.	
35	H21-H22	Charles-Renouvier r.	
21	E18 *S*	Charles-Robin r.	
38	M3	Charles-Tellier r.	
41	N9 *N*	Charles-Vallin pl.	
41	N9	Charles-Weiss r.	
32-33	H16-H17	Charlot r.	
41-53	N9	Charmilles villa des	
46	M20	Charolais pass. du	
46	M20-L19	Charolais r. du	
47-34	K21-J20	Charonne bd de	
		nos impairs 11e - nos pairs	
33-35	K18-J21	Charonne r. de	
18	F12	Charras r.	
34	J19-K19	Charrières imp.	
43	K14 *S*	Charrière imp.	
20	D16-D15	Chartres r. de	
43	M13	Chartreux r. des	
17	F10	Chassaigne-Goyon pl.	
41	K9-L9	Chasseloup-Laubat r.	
5	C9 *S*	Chasseurs av. des	
42	M11-N11	Château r. du	
17-16	F9-F8	Chateaubriand r.	
20	G16-F16	Château-d'Eau r. du	
57-56	R18-N16	Château-des-Rentiers r.	
19	E14-E13	Châteaudun r. de	
21	E17-D17	Château-Landon r. du	
8	C15 *S*	Château-Rouge pl. du	
6	B11-B12	Châtelet pass.	
32-31	J15-J14	Châtelet pl. du nos impairs	
		nos pairs	
53	R10	Châtillon porte de	
54	P11	Châtillon r. de	
54	P11 *S*	Châtillon sq. de	
31	K14 *N*	Chat-qui-Pêche r. du	
19	F13-F14	Chauchat r.	
21	D17	Chaudron r.	
21	E18	Chaufourniers r. des	
11	D21 *N*	Chaumont porte	
21	D18 *S*	Chaumont r. de	
23-35	G22	Chauré sq.	
19-18	F13-E12	Chaussée-d'Antin r. de la	
47	M22	Chaussin pass.	
21	F17-E17	Chausson imp.	
18	F11 *S*	Chauveau-Lagarde r.	
52-53	P8-P9	Chauvelot r.	

	Grid	Name	Arr.
	E9 N	Chazelles r. de	17
0-11	A20-A21	Chemin-de-Fer r. du	
		nos 1-13, 2-12 bis	19
		nos 15-fin, 14-fin	Pantin
	C21 S	Cheminets r. des	19
	H18 S	Chemin-Vert pass. du	11
-34	J17-H20	Chemin-Vert r. du	11
-45	K18	Chêne-Vert cour du	12
	G15 N	Chénier r.	2
	H22-G21	Cher r. du	20
	N9-P9	Cherbourg r. de	15
-42	K12-L11	Cherche-Midi r. du	
		nos 1-121, 2-130	6
		nos 123-fin, 132-fin	15
	P15 N	Chéreau r.	13
	J6 N	Chernoviz r.	16
	D11 S	Chéroy r. de	17
-31	G13	Chérubini r.	2
	J18-K18	Cheval-Blanc pass. du	11
-45	P19-N17	Chevaleret r. du	13
	C14 S	Chevalier-de-la-Barre r.	18
	F21	Chevaliers imp. des	20
	J9	Chevert r.	7
	E12 S	de Cheverus r.	9
	G18 N	Chevet r. du	11
-46	K20	Chevreul r.	11
	M12 N	Chevreuse r. de	6
	M3 N	Cheysson villa	16
-35	G22-G21	Chine r. de la	20
	G13	Choiseul pass.	2
	G13-F13	de Choiseul r.	2
-56	R17-P16	Choisy av. de	13
	R17 S	Choisy porte de	13
	K12 N	Chomel r.	7
	J5	Chopin pl.	16
	E14	Choron r.	9
	B12	Christi imp.	17
	L21 N	Christian-Dewet r.	12
	D15 N	Christiani r.	18
	J14-J13	Christine r.	6
	F8-G8	Christophe-Colomb r.	8
	L12 S	Cicé r. de	6
	G7	Cimarosa r.	16
	B9	Cimetière r. du	
		n° 2 seulement	17
		nos 4-fin, nos impairs	Clichy
	B10	Cim.-des-Batignolles av. du	17
	K14 N	Cimetière-St-Benoît r. du	5
5	D6	Cino-Del-Duca r.	17
	P15	Cinq-Diamants r. des	13
-42	M10-M11	Cinq-Martyrs-du-Lycée-Buffon pont des	15
	F10 S	Cirque r. du	8
	K13 N	Ciseaux r. des	6
	J15 S	Cité r. de la	4
	L19-K19	Cîteaux r. de	12
	R14	Cité Florale	13
	J19-H19	Cité Industrielle	
	R14 S	Cité-Universitaire r.	14
	F18	Civiale r.	10
	L3 S	Civry r. de	16
	C11	Clairaut r.	17
	D11 S	Clapeyron r.	8
-43	M15-M14	Claude-Bernard r.	5
	J6-H6	Claude-Chahu r.	16
	D7 N	Claude-Debussy r.	17
	D10	Claude-Debussy sq.	17
	N22-M21	Claude-Decaen r.	12
	L2 S	Claude-Farrère r.	16
	P8 S	Claude-Garamond r.	15
38	M3 N	Claude-Lorrain r.	16
38	M3 N	Claude-Lorrain villa	16
22	D20 S	Claude-Monnet villa	19
17	D10	Claude-Pouillet r.	17
57	R18 S	Claude-Regaud av.	13
38	M3 S	Claude-Terrasse r.	16
46	K20 S	Claude-Tillier r.	12
21	F17-E18	Claude-Vellefaux av.	10
19	E13	Clauzel r.	9
22	F20-E19	Clavel r.	19
44	M15-L15	Clef r. de la	5
17-29	G10	Clemenceau pl.	8
31	H14 N	Clémence-Royer r.	1
31	K13 N	Clément r.	6
27	K5	Clément-Ader pl.	16
17-29	G9	Clément-Marot r.	8
29	H9-J9	Cler r.	7
20	G15 N	Cléry pass. de	2
19-20	G14-G15	Cléry r. de	2
6-5	D12-B10	Clichy av. de nos 1-fin, 66-fin	17
		nos 2-64	18
19-18	D13-D12	Clichy bd de nos impairs	9
		nos pairs	18
18	D12	Clichy pass. de	18
18	D12	Clichy pl. de	
		nos 1 seulement, 2-10 bis	9
		n° 3 seulement	8
		nos 5-fin (impairs)	17
		nos 12-fin (pairs)	18
5	B10	Clichy porte de	17
18	E12-D12	Clichy r. de	9
7	A14	Clignancourt porte de	18
7-8	D14-B15	Clignancourt r. de	18
7	B14 S	Clignancourt sq. de	18
57	N17 S	Clisson imp.	13
45-57	N17-P17	Clisson r.	13
35	G21 S	Cloche r. de la	20
32	J16	Cloche-Perce r.	4
28	K7 N	Clodion r.	15
32	K15-J15	Cloître-Notre-Dame r. du	4
32	H15 S	Cloître-St-Merri r. du	4
35	J22	Clos r. du	20
44	K15 S	Clos-Bruneau pass. du	5
40	M7-N7	Clos-Feuquières r. du	15
43	L14	Clotaire r.	5
43	L14	Clotilde r.	5
33	J17	Clotilde-de-Vaux r.	11
11	B21 N	Clôture r. de la	19
41	L9 N	Clouet r.	15
44	L15	Clovis r.	5
21	D18 S	Clovis-Hugues r.	19
7	B13-C13	Cloys imp. des	18
7	C13-B13	Cloys pass. des	18
7	B14-B13	Cloys r. des	18
31-43	K14	Cluny r. de	5
32-44	K15	Cochin r.	5
30-42	K12	Coëtlogon r.	6
54	P12 N	Cœur-de-Vey villa	14
29	H9	Cognacq-Jay r.	7
31	G13	Colbert gal.	2
19	G13	Colbert r.	2
31	H13 N	Colette pl.	1
17	F9-F10	Colisée r. du	8
44	M15 S	Collégiale r. de la	5
53	P10 S	Collet villa	14
6	B12 S	Collette r.	17
19	D13 S	Collin pass.	9
10	C19 S	Colmar r. de	19
32	J15 S	Colombe r. de la	4
26	H4	Colombie pl. de	16

27	J5	**Colonel-Bonnet av. du**	16
46	L19	**Colonel-Bourgoin pl. du**	12
41	L9	**Colonel-Colonna-**	15
		d'Ornano r.	
29	H9	**Colonel-Combes r. du**	7
31	H14-H13	**Colonel-Driant r. du**	1
21	E18-E17	**Colonel-Fabien pl. du**	
		nos impairs 10e - nos pairs	19
6	B11	**Colonel-Manhès r. du**	17
16	E7	**Colonel-Moll r. du**	17
53	P9 *S*	**Colonel-Monteil r. du**	14
47-48	N22-M23	**Colonel-Oudot r. du**	12
51	N5-P5	**Colonel-Pierre-Avia r. du**	15
46	L20	**Colonel-Rozanoff r. du**	12
16	E7	**Colonels-Renard r. des**	17
55-56	R14-R15	**Colonie r. de la**	13
19	G13 *N*	**Colonnes r. des**	2
47	L21	**Colonnes-du-Trône r. des**	12
29	H9-J9	**Comète r. de la**	7
30	K11 *N*	**Commaille r. de**	7
18	D11	**Cdt-Charles-Martel pass.**	17
37	M2	**Cdt-Guilbaud r. du**	16
33	J18	**Cdt-Lamy r. du**	11
40	M7	**Cdt-Léandri r. du**	15
48	L24-K24	**Cdt-L'Herminier r. du**	20
15	E6 *S*	**Cdt-Marchand r. du**	16
42	M11	**Cdt-René-Mouchotte r. du**	
		nos impairs 14e - nos pairs	15
17	F9	**Cdt-Rivière r. du**	8
27	H6	**Cdt-Schloesing r. du**	16
10	A20	**Commanderie bd de la**	19
54	P12	**Commandeur r. du**	14
40	L7	**Commerce imp. du**	15
40	L7	**Commerce pl. du**	15
40	K8-L7	**Commerce r. du**	15
31	K13 *N*	**Commerce-St-André cour**	6
32	H15	**Commerce-St-Martin pass.**	3
33	H17	**Commines r.**	3
23-22	E21-D20	**Compans r.**	19
20	E15 *N*	**Compiègne r. de**	10
6	C11 *N*	**Compoint imp.**	17
30	G11 *S*	**Concorde pl. de la**	8
30	H11 *N*	**Concorde pont de la**	8-7
30	H11 *N*	**Concorde port de la**	8
31-43	K13	**de Condé r.**	6
34	H19 *N*	**Condillac r.**	11
19	E14 *N*	**Condorcet cité**	9
20-19	E15-E14	**Condorcet r.**	9
29	H9 *N*	**Conférence port de la**	8
35	J21-J22	**Confiance imp. de la**	20
46	M20 *N*	**Congo r. du**	12
27	H5 *S*	**Conseiller-Collignon r.**	16
19	F14	**Conservatoire r. du**	9
7	D13 *N*	**Constance r.**	18
22	F20 *N*	**Constant-Berthaut r.**	20
41	K10 *S*	**Constant-Coquelin av.**	7
29	H10-J10	**Constantine r. de**	7
18	E11	**Constantinople r. de**	8
7	C13	**Constantin-Pecqueur pl.**	18
32	G16 *S*	**Conté r.**	3
31	J13	**de Conti imp.**	6
31	J14-J13	**de Conti quai**	6
44	L15	**Contrescarpe pl. de la**	5
39-40	L5-N8	**Convention r. de la**	15
57	S17 *N*	**Conventionnel-Chiappe r.**	13
6	B12	**Cope imp.**	18
18	E11 *N*	**Copenhague r. de**	8
16-15	G7-G6	**Copernic r.**	16
16	F7-G7	**Copernic villa**	16
41	L9-M9	**Copreaux r.**	15
18	E12-F12	**Coq av. du**	
33	H17 *S*	**Coq cour du**	1
31	H14 *N*	**Coq-Héron r.**	
31	H14 *N*	**Coquillière r.**	
46	L19	**Corbera av. de**	1
46	M19	**Corbineau r.**	1
41	N9 *N*	**Corbon r.**	1
44	N15	**Cordelières r. des**	1
33	G17 *S*	**Corderie r. de la**	
35	G21 *S*	**Cordon-Boussard imp.**	2
10	B19-B20	**Corentin-Cariou av.**	
46	N20-M20	**Coriolis r.**	1
38	L3	**Corneille imp.**	1
43	K13 *S*	**Corneille r.**	1
38	L4 *N*	**Corot r.**	1
23	D21	**Corrèze r. de la**	
32-31	J15-J14	**Corse quai de la**	
27	H6-H5	**Cortambert r.**	
7	C14 *S*	**Cortot r.**	
17	E10	**Corvetto r.**	
43-56	N14-P15	**Corvisart r.**	1
32	H15	**Cossonnerie r. de la**	
27	J6 *N*	**Costa-Rica pl. de**	1
41	M10	**Contentin r. du**	1
15	G5-F5	**Cothenet r.**	
7	C14 *S*	**Cottages r. des**	
45-46	K18-K19	**de Cotte r.**	
7	C14 *S*	**Cottin pass.**	
54	P12 *S*	**Couche r.**	
55-54	P13-12	**du Couëdic r.**	
54	R12-R11	**Coulmiers r. de**	
35	J22	**Courat pass.**	2
35	J22	**Courat r.**	2
17-16	E10-E8	**Courcelles bd de**	
		nos impairs	
		nos pairs	
4	C7-C8	**Courcelles porte de**	
17-4	F10-C7	**Courcelles r. de**	
		nos 1-77, 2-94	
35	H22-H21	nos 79-fin, 96-fin **Cour-des-Noues r. de la**	
40	M7	**Cournot r.**	
22	G19-F20	**Couronnes r. des**	
32	H15 *S*	**Courtalon r.**	
48	L23	**Courteline av.**	
34	J20 *N*	**Courtois pass.**	
30	H11	**Courty r. de**	
19	D13	**Coustou r.**	
32	J15 *N*	**Coutellerie r. de la**	
33-32	H17-H16	**Coutures-St-Gervais**	
		r. des	
34	J19 *S*	**Couvent cité du**	
44	N16 *S*	**Coypel r.**	
6	C12 *N*	**Coysevox r.**	
31-43	K13	**Crébillon r.**	
55	R14 *S*	**Crédit-Lyonnais imp. du**	
45	L18 *N*	**Crémieux r.**	
34	G19 *S*	**Crespin-du-Gast r.**	
19	D14 *S*	**Crétet r.**	
15	F6 *S*	**Crevaux r.**	
45	K17 *S*	**Crillon r.**	
9	B18 *S*	**Crimée pass. de**	
22-9	E20-B18	**Crimée r. de**	
35	J21 *S*	**Crins imp. des**	
36-48	K23	**Cristino-Garcia r.**	
41	N10 *N*	**Crocé-Spinelli r.**	
42	L11	**Croisic sq. du**	
19	G14 *N*	**Croissant r. du**	
31	H13-G14	**Croix-des-Petits-Champs r.**	
34	J20 *N*	**Croix-Faubin r. de la**	

58	P19	Croix-Jarry r. de la	13
40	L8-N7	Croix-Nivert r. de la	15
40	L8	Croix-Nivert villa	15
30	K12 N	Croix-Rouge carr. de la	6
35-36	J22-23	Croix-St-Simon r. de la	20
41-40	N9-N8	Cronstadt r. de	15
22	E20-D20	Cronstadt villa de	19
44-56	N15	Croulebarbe r. de	13
46	K19 S	Crozatier imp.	12
46	L19-K19	Crozatier r.	12
33	H17 N	Crussol cité de	11
33	H17-G18	Crussol r. de	11
9	C17-B17	Cugnot r.	18
43	L14-K14	Cujas r.	5
32	G15 S	Cunin-Gridaine r.	3
26	J4-K4	Cure r. de la	16
8	C16 N	Curé imp. du	18
9-10	C18-B19	Curial r.	19
4	C8-C7	Curnonsky r.	17
8-7	C15-C14	Custine r.	18
44	L16	Cuvier r.	5
32	H15 N	Cygne r. du	1
27	K6-J6	Cygnes allée des	15
7	C14	Cyrano-de-Bergerac r.	18

d

35	J22	Dagorno pass.	20
47	L21-L22	Dagorno r.	12
42	N12-N11	Daguerre r.	14
34	K19	Dahomey r. du	11
19-31	G13	Dalayrac r.	2
57	R18 S	Dalloz r.	13
41	L10 S	Dalou r.	15
6-17	D12-D10	Dames r. des	17
56	R16	Damesme imp.	13
56	P16-R16	Damesme r.	13
20-32	G15	Damiette r. de	2
33	J18 S	Damoye cour	11
10	B19	Dampierre r.	19
7	C13-B13	Damrémont r.	18
7	B13	Damrémont villa	18
19	D14	Dancourt r.	18
19	D14	Dancourt villa	18
26	K4 N	Dangeau r.	16
19-18	G13-12	Danielle-Casanova r.	
		nos impairs	1
		nos pairs	2
41	L10 N	Daniel-Lesueur av.	7
28	K7	Daniel-Stern r.	15
10	D19	Danjon r.	19
31	K14	Dante r.	5
31	K14 N	Danton r.	6
52	N8 S	Dantzig pass. de	15
40-52	N8-P8	Dantzig r. de	15
23	D21 S	Danube hameau du	19
23	D21 S	Danube villa du	19
42	N12	Danville r.	14
8	E11	Dany imp.	8
21	G18 N	Darboy r.	11
8	D12	Darcet r.	17
23	F22 S	Darcy r.	20
5	D6	Dardanelles r. des	17
5	P13 N	Dareau pass.	14
5	N13-P13	Dareau r.	14
7	R18	Darmesteter r.	13
6-17	E8-E9	Daru r.	8
	C14-C13	Darwin r.	18
4	M16-M15	Daubenton r.	5
9-17	D9 N	Daubigny r.	17
5-48	K18-N23	Daumesnil av.	12
7	M22 S	Daumesnil villa	12
8	M3	Daumier r.	16
	B12	Daunay pass.	18
9-18	G13-G12	Daunou r.	2
1	J13 S	Dauphine pass.	6
31	J14	Dauphine pl.	1
15	F5	Dauphine porte	16
31	J14-J13	Dauphine r.	6
6	C11-C12	Dautancourt r.	17
33	J18 S	Daval r.	11
22-23	D20-D21	David-d'Angers r.	19
55	R13 S	David-Weill av.	14
55	P14	Daviel r.	13
55	P14 S	Daviel villa	13
26	J4	Davioud r.	16
48-36	K23-H23	Davout bd	20
6	C12-C11	Davy r.	17
16-15	E7-E6	Débarcadère r. du	17
33	H17	Debelleyme r.	3
47	L22	Debergue cité	12
23	D21 S	Debidour av.	19
34	J19	Debille cour	11
28	H8	Debilly passerelle	16-7
28	H8-H7	Debilly port	16
28	H8-G8	Debrousse r.	16
27	G6-H5	Decamps r.	16
31	H14 S	Déchargeurs r. des	1
41	N10 S	Decrès r.	14
6	D12 N	Défense imp. de la	18
39	K5 S	Degas r.	16
20	G15 N	Degrés r. des	2
21	G18	Deguerry r.	11
8	C15 S	Dejean r.	18
22-34	G20	Delaitre r.	20
42	M12 N	Delambre r.	14
42	M12 N	Delambre sq.	14
20	E16	Delanos pass.	10
35	J21	Delaunay cité	11
34	J20	Delaunay imp.	11
54	P11 N	Delbet r.	14
17	F10	Delcassé av.	8
40	L7 N	Delecourt av.	15
33	J18 S	Delépine cour	11
34	K20 N	Delépine imp.	11
28-27	H7-J6	Delessert bd	16
21	E17	Delessert pass.	10
10	C20	Delesseux r.	19
6	B11 N	Deligny imp.	17
56	R16	Deloder villa	13
22	E20 S	Delouvain r.	19
20	D15 S	Delta r. du	9
20	E16 N	Demarquay r.	10
20	E15	Denain bd de	10

43	M13-N13	Denfert-Rochereau av.	14
42-43	N12-N13	Denfert-Rochereau pl.	14
16	E7 *S*	Denis-Poisson r.	17
22	F19	Dénoyez r.	20
29	J9-J10	Denys-Cochin pl.	7
5	D10 *N*	Déodat-de-Séverac r.	14
7	C13 *S*	Depaquit pass.	18
42	N12 *N*	Deparcieux r.	14
42	L11-M11	Départ r. du	
		nos impairs	14
		nos pairs	15
9-8	D17-C16	Département r. du	
		nos 1-19 ter, 2-18	19
		nos 21-fin, 20-fin	18
28	J8-K7	Desaix r.	15
28	K7 *N*	Desaix sq.	15
21	G18 *N*	Desargues r.	11
38	L4 *N*	Désaugiers r.	16
27	H5	Desbordes-Valmore r.	16
44	L15	Descartes r.	5
16	D7 *N*	Descombes r.	17
46	M20 *N*	Descos r.	12
29	H10	Desgenettes r.	7
9	C18 *N*	Desgrais pass.	15
53	P10 *S*	Deshayes villa	14
20	F16	Désir pass. du	10
34	H20-G20	Désirée r.	15
23	F22	Désirée villa	20
7	B13	Désiré-Ruggieri r.	18
40-39	N7-N6	Desnouettes r.	15
39	N6	Desnouettes sq.	15
38	L3	Despréaux av.	16
41	N10	Desprez r.	14
57	R18-P18	Dessous-des-Berges r. du	13
31	J13	Deux-Anges imp. des	6
56	P16	Deux-Avenues r. des	13
31	H14 *S*	Deux-Boules r. des	1
16	D7 *N*	Deux-Cousins imp. des	17
31	H14 *N*	Deux-Écus pl. des	1
20	E16	Deux-Gares r. des	10
6	D12 *N*	Deux-Nèthes imp. des	18
31	G13 *S*	Deux-Pavillons pass. des	1
32	K16	Deux-Ponts r. des	4
19	F14-E14	Deux-Sœurs pass. des	9
23	F21	Devéria r.	20
23-35	G22	Dhuys r. de la	20
18	F12	Diaghilev pl.	9
22	F19	Diane-de-Poitiers allée	19
7	C14 *N*	Diard r.	18
45-47	L17-K21	Diderot bd	12
45	L18	Diderot cour	12
53	P10	Didot porte	14
42-53	N11-P10	Didot r.	14
38	M3	Dietz-Monnin villa	16
35	J22	Dieu pass.	20
21	F17 *S*	Dieu r.	10
57	R18-R17	Dieudonné-Costes r.	13
56	R15 *N*	Dieulafoy r.	13
46	N19-N20	Dijon r. de	12
57	R17	Disque r. du	13
42	L11	Dix-Huit-Juin-1940 pl. du	6
15	D6	Dixmude bd de	17
15	D6	Dobropol r. du	17
21	F17	Dr-Alfred-Fournier pl.	10
34-46	K19	Dr-Antoine-Béclère pl.	12
47	M22-L22	Dr-Arnold-Netter av. du	12
7-6	A13-A12	Dr-Babinski r. du	18
26	J4-K3	Dr-Blanche r. du	16
26	K4 *N*	Dr-Blanche sq. du	16
56	S16	Dr-Bourneville r. du	13
28	J8	Dr-Brouardel av. du	7
57	N17 *S*	Dr-Charles-Richet r.	13
6	C11 *S*	Dr-Félix-Lobligeois pl.	17
27-28	K6-K7	Dr-Finlay r. du	15
27	K6-J6	Dr-Germain-Sée r. du	16
24	E23	Dr-Gley av. du	20
47	M21	Dr-Goujon r. du	12
27	K5 *N*	Dr-Hayem pl. du	15
6	C11	Dr-Heulin r. du	17
40	L8-M8	Dr-Jacquemaire-Clemenceau r. du	15
28	G8	Dr-Jacques-Bertillon imp.	8
24	G23 *N*	Dr-Labbé r. du	20
9	C18	Dr-Lamaze r. du	19
17	E10 *S*	Dr-Lancereaux r. du	8
56	R15	Dr-Landouzy r. du	13
54	S12 *N*	Dr-Lannelongue av. du	14
56	R16 *N*	Dr-Laurent r. du	13
56	R15	Dr-Lecène r. du	13
56	R16-R15	Dr-Leray r. du	13
56	R15-R16	Dr-Lucas-Championnière r.	13
56	P16 *S*	Dr-Magnan r. du	13
57	P17	Dr-Navarre pl. du	13
23	G22 *N*	Dr-Paquelin r. du	20
6	B11	Dr-Paul-Brousse r. du	17
37	M2	Dr-Paul-Michaux pl. du	16
23	E21 *S*	Dr-Potain r. du	19
41	M10	Dr-Roux r. du	14
36	J23	Drs-Déjérine r. des	20
56	R16-R15	Dr-Tuffier r. du	13
57	N17 *S*	Dr-Victor-Hutinel r. du	13
57	R18 *S*	Dr-Yersin r. du	13
38	N3 *N*	Dode-de-la-Brunerie av.	16
16	E7	Doisy pass.	17
44	L15 *S*	Dolomieu r.	5
31	K14	Domat r.	5
40	N8	Dombasle imp.	15
40	N8 *N*	Dombasle pass.	15
40	M8-N8	Dombasle r.	15
16	F7 *S*	Dôme r. du	16
57	P18-P17	Domrémy r. de	13
38	K4 *S*	Donizetti r.	16
4	C8	Dordogne sq. de la	17
11	C21	Dorées sente des	19
47	L21 *N*	Dorian av.	12
47	L21 *N*	Dorian r.	12
15	G6-F6	Dosne r.	16
19-18	D13-D12	Douai r. de	18
54	P12 *S*	Douanier-Rousseau r. du	16
5	B9	Douaumont bd de	17
32	K15 *N*	Double pont au	4-5
8	C16-C15	Doudeauville r.	18
30	J12-K12	Dragon r. du	8
34	G19 *S*	Dranem r.	11
15	E6	Dreux r. de	16
7-19	D14 *N*	Drevet r.	18
46	K19 *S*	Driancourt pass.	12
17	F14	Drouot r.	9
34-46	K19	Druinot imp.	12
20	F16	Dubail pass.	10
27	J5 *N*	Duban r.	16
22	D19	Dubois pass.	19
35	H22	Dubourg cité	20
46	M20	Dubrunfaut r.	12
7	C14 *N*	Duc r.	18
57	N17 *S*	Duchefdelaville imp.	13
57	N18-N17	Duchefdelaville r.	13
34	H19	Dudouy pass.	1

23	F21 S	**Duée pass. de la**	20
23	F21 S	**Duée r. de la**	20
27	G5 S	**Dufrénoy r.**	16
38	M3 S	**Dufresne villa**	16
46	M20	**Dugommier r.**	12
42	L12 N	**Duguay-Trouin r.**	6
7-8	B14-B15	**Duhesme pass.**	18
7	C13-B14	**Duhesme r.**	18
41	L10 S	**Dulac r.**	15
36	G23	**Dulaure r.**	20
18-5	D11-C10	**Dulong r.**	17
34-35	K20-K21	**Dumas pass.**	11
44	M16-N16	**Duméril r.**	13
16	G7-F8	**Dumont-d'Urville r.**	16
22	F19-E19	**Dunes r. des**	19
20-19	E16-D14	**Dunkerque r. de**	
		nos 1-47, 2-36 bis	10
		nos 49-fin, 38-fin	9
45-57	P18-N17	**Dunois r.**	13
45	N17	**Dunois sq.**	13
19	D13 S	**Duperré r.**	9
32-33	G16-G17	**Dupetit-Thouars cité**	3
33-32	G17-G16	**Dupetit-Thouars r.**	3
18	G12	**Duphot r.**	
		nos 1-21, 2-26	1
		nos 23-fin, 28-fin	8
42	K12	**Dupin r.**	6
15	E6 S	**Duplan cité**	16
28	K8	**Dupleix pl.**	15
28-40	K8	**Dupleix r.**	15
34	H19	**Dupont cité**	11
15	F6 N	**Dupont villa**	16
23-35	G22-G21	**Dupont-de-l'Eure r.**	20
28-29	H8-H9	**Dupont-des-Loges r.**	7
33	G17 S	**Dupuis r.**	3
8	C16	**Dupuy imp.**	18
57	R18	**Dupuy-de-Lôme r.**	13
31	K13	**Dupuytren r.**	6
29-41	J9-K10	**Duquesne av.**	7
47	M21	**Durance r. de la**	12
34	H19-H20	**Duranti r.**	11
7	D13-C13	**Durantin r.**	18
39-40	M6-M7	**Duranton r.**	15
18	F11 S	**Duras r. de**	8
7	B13 N	**Durel cité**	18
15	F6 N	**Duret r.**	16
34	G20 S	**Duris r.**	20
34	G19	**Durmar cité**	11
41	K10-L10	**Duroc r.**	7
42-54	N12 S	**Durouchoux r.**	14
23	E22 S	**Dury-Vasselon villa**	20
32	G15	**Dusoubs r.**	2
53	P10	**Duthy villa**	14
41	M9	**Dutot r.**	15
29	G10	**Dutuit av.**	8
10-9	C19-C18	**Duvergier r.**	19
29	J9	**Duvivier r.**	7

e

27	J6 N	**Eaux r. des**	16
46	L20	**Ebelmen r.**	12
41	K10 S	**Eblé r.**	7
31	J13 S	**Echaudé r. de l'**	6
31	H13 N	**Echelle r. de l'**	1
20	F15	**Echiquier r. de l'**	10
21	E17 S	**Ecluses-St-Martin r. des**	10
19	E14	**Ecole imp. de l'**	9
31	J14 N	**Ecole pl. de l'**	1
31	K14	**Ecole-de-Médecine r. de l'**	6
29	J9 S	**Ecole-Militaire pl. de l'**	7
44	L15-K15	**Ecole-Polytechnique r. de l'**	5
35	G21 S	**Ecoles cité des**	20
44-43	L15-K14	**Ecoles r. des**	5
40	L7	**Ecoliers pass. des**	15
43	K14 S	**Ecosse r. d'**	5
32	J16	**Ecouffes r. des**	4
26	H4 S	**Ecrivains-Combattants-Morts-pour-la-France sq.**	16
35	J22 S	**Ecuyers sentier des**	20
22-21	E19-E18	**Edgar-Poë r.**	19
42	M12-M11	**Edgar-Quinet bd**	14
18	E11	**Edimbourg r. d'**	8
57-56	P17-P16	**Edison av.**	13
35	G22 S	**Edith-Piaf pl.**	20
27	H5	**Edmond-About r.**	16
45	M18 S	**Edmond-Flamand r.**	13
56	P15 N	**Edmond-Gondinet r.**	13
41	L10 S	**Edmond-Guillout r.**	15
32	H15	**Edmond-Michelet pl.**	4
40	L7	**Edmond-Roger r.**	15
43	L14 N	**Edmond-Rostand pl.**	6
54	R11	**Edmond-Rousse r.**	14
29-28	H9-H8	**Edmond-Valentin r.**	7
31	J14 N	**Edouard-Colonne r.**	1
17	D9	**Edouard-Detaille r.**	17
27-26	H5-H4	**Edouard-Fournier r.**	16
42	N11 N	**Edouard-Jacques r.**	14
48	M23	**Edouard-Lartet r.**	12
33	G18 S	**Edouard-Lockroy r.**	11
44	N16 S	**Edouard-Manet r.**	13
21-22	E18-D19	**Edouard-Pailleron r.**	19
44	M15	**Edouard-Quénu r.**	5
48	N23	**Edouard-Renard pl.**	12
47	N22-M21	**Edouard-Robert r.**	12
18	F12 S	**Edouard-VII pl.**	9
18	F12 S	**Edouard-VII r.**	9
37	M2-N2	**Edouard-Vaillant av.**	
		sans nos	16
		nos 23-fin, 18-fin	Boulogne
30-29	G11-G10	**Edward-Tuck av.**	8
23	D21-E21	**Egalité r. de l'**	19
32	J16 S	**Eginhard r.**	4
40	L7 S	**Eglise imp. de l'**	15
39-40	L6-L7	**Eglise r. de l'**	15
26	J4	**Eglise-de-l'Assomption pl. de l'**	16
48	L24	**Elie-Faure r.**	12

34	G20	Elisa-Borey r.	20
46	M20	Elisa-Lemonnier r.	12
28	J8 *N*	Elisée-Reclus av.	7
29	K10	El-Salvador pl.	7
17	G10 *N*	Elysée r. de l'	8
22	G20 *N*	Elysée-Ménilmontant r.	20
17	F9 *S*	Elysées-La Boétie galerie	8
32	J16 *N*	Elzévir r.	3
10	C19	Emélie imp.	19
28-39	K7-K6	Emériau r.	15
28	K8 *N*	Emile-Acollas av.	7
16	D7	Emile-Allez r.	17
27	J5-H5	Emile-Augier bd	16
26	K4 *N*	Emile-Bergerat av.	16
9	A17	Emile-Bertin r.	18
7	B14	Emile-Blémont r.	18
6	A11	Emile-Borel r.	17
8	B15 *S*	Emile-Chaîne r.	18
28-29	J8-J9	Emile-Deschanel av.	7
44-56	N15 *N*	Emile-Deslandres r.	13
23	E21	Emile-Desvaux r.	19
55	R13	Emile-Deutsch-de-la-Meurthe r.	14
55	N13 *S*	Emile-Dubois r.	14
41	L9 *S*	Emile-Duclaux r.	15
8	C16	Emile-Duployé r.	18
4	C8 *S*	Emile-et-Armand-Massard av.	17
54	R12 *S*	Emile-Faguet r.	14
45	L18 *N*	Emile-Gilbert r.	12
7	D13 *N*	Emile-Goudeau pl.	18
35	H22 *N*	Emile-Landrin pl.	20
35	H21 *N*	Emile-Landrin r.	20
48	M23	Emile-Laurent av.	12
34	J20	Emile-Lepeu r.	11
57	R17 *S*	Emile-Levassor r.	13
6	B11	Emile-Level r.	17
23	E21 *N*	Emile-Loubet villa	19
44	L15	Emile-Mâle pl.	5
56	S15	Emile-Mâle pl.	13
15	G5 *N*	Emile-Ménier r.	16
38	M3	Emile-Meyer villa	16
35	G22 *S*	Emile-Pierre-Casel r.	20
28	J8 *N*	Emile-Pouvillon av.	7
10	A20	Emile-Reynaud r. n°ˢ impairs / n°ˢ pairs	19 / Aubervilliers
42	M12	Emile-Richard r.	14
39-40	L5-L8	Emile-Zola av.	15
40	L7 *N*	Emile-Zola sq.	15
45	K18 *S*	Emilio-Castelar r.	12
5-17	D10	Emmanuel-Chabrier sq.	17
39	L5-L6	Emmanuel-Chauvière r.	15
22-23	F20-F21	Emmery r.	20
22	E20	Encheval r. de l'	19
41	L10	Enfant-Jésus imp. de l'	15
42	M12	Enfer pass. d'	14
20	F15	Enghien r. d'	10
40	L7	Entrepreneurs pass. des	15
39-40	L6-L7	Entrepreneurs r. des	15
39	L6 *N*	Entrepreneurs villa des	15
22	F20	Envierges r. des	20
44	M15 *N*	Epée-de-Bois r. de l'	5
31	K14 *N*	Eperon r. de l'	6
6	B11 *N*	Epinettes imp. des	17
42	L12 *S*	Epinettes pass. des	14
6	B11	Epinettes pass. des	17
6	B11	Epinettes r. des	17
22	F19 *N*	Equerre r. de l'	19
46	L19	Erard imp.	12
46	L19-L20	Erard r.	12
43	L14 *S*	Erasme r.	5
8	D15 *N*	Erckmann-Chatrian r.	18
38	L3 *N*	Erlanger av.	16
38	L3	Erlanger r.	16
38	L3 *N*	Erlanger villa	16
38	L4 *S*	Ermitage av. de l'	16
22-23	G20-F21	Ermitage r. de l'	20
22-23	F20-F21	Ermitage villa de l'	20
42-54	N12 *S*	Ernest-Cresson r.	14
43	M13 *N*	Ernest-Denis pl.	6
56	R16-R15	Ernest et H.-Rousselle r.	13
6	B11	Ernest-Goüin r.	17
26	H4	Ernest-Hébert r.	16
8	C15	Ernestine r.	18
47	N22	Ernest-Lacoste r.	12
48	M23 *N*	Ernest-Lavisse r.	12
48	M23 *S*	Ernest-Lefébure r.	12
23	G22 *N*	Ernest-Lefèvre r.	20
29	J9	Ernest-Psichari r.	7
51	N6 *S*	Ernest-Renan av.	15
41	L9-L10	Ernest-Renan r.	15
54	R11	Ernest-Reyer av.	14
6	B11	Ernest-Roche r.	17
9	B18 *S*	Escaut r. de l'	19
7	B14 *N*	Esclandon r.	18
59	P21 *S*	Escoffier r.	12
56-55	P15-R14	Espérance r. de l'	13
44	N16	Esquirol r.	13
44	M16	Essai r. de l'	5
23	F21 *S*	Est r. de l'	20
57	R17	Este villa d'	13
48	K23 *S*	Esterel sq. de l'	20
18	E12 *S*	d'Estienne-d'Orves pl.	9
43	L14	Estrapade pl. de l'	5
43	L14	Estrapade r. de l'	5
29	K10-K9	d'Estrées r.	7
16	G7-G8	Etats-Unis pl. des	16
6	C12	Etex r.	18
6	C12	Etex villa	18
35	J21	Etienne-Delaunay pass.	11
22-34	G19-G20	Etienne-Dolet r.	20
6	C12 *S*	Etienne-Jodelle r.	18
32-31	H15-G14	Etienne-Marcel r. n°ˢ impairs 1ᵉʳ - n°ˢ pairs	2
23-35	G22	Etienne-Marey r.	20
23-35	G22	Etienne-Marey villa	20
40	L7 *S*	Etienne-Pernet pl.	15
16	E8 *S*	Etoile r. de l'	17
33	K18 *N*	Etoile-d'Or cour de l'	11
56	P15	Eugène-Atget r.	13
6-7	C12-B13	Eugène-Carrière r.	18
27	H5 *N*	Eugène-Delacroix r.	16
4	C8 *S*	Eugène-Flachat r.	17
7	A14 *S*	Eugène-Fournière r.	18
40	N8 *N*	Eugène-Gibez r.	15
11-10	D21-C20	Eugène-Jumin r.	19
26	H4	Eugène-Labiche r.	16
23	E21 *N*	Eugène-Leblanc villa	19
27	H6 *S*	Eugène-Manuel r.	16
27	H6 *S*	Eugène-Manuel villa	16
40	M7 *S*	Eugène-Millon r.	15
57	P18 *S*	Eugène-Oudiné r.	13
42	N12 *N*	Eugène-Pelletan r.	14
27	K5	Eugène-Poubelle r.	16
36	J23	Eugène-Reisz r.	20
32-33	H16-H17	Eugène-Spuller r.	3
7-8	C14-C15	Eugène-Sue r.	18
21	E17	Eugène-Varlin r.	10
23	E21	Eugénie-Cotton r.	19
46	L20	Eugénie-Eboué	12

35	H21	Eugénie-Legrand r.	20	24	F23	Evariste-Galois r.	20
16	F8 *S*	Euler r.	8	35	G22 *S*	Eveillard imp.	20
22	G20 *N*	Eupatoria r. d'	20	10	C19	Evette r.	19
42-54	N11 *S*	Eure r. de l'	14	38	M4-L3	Exelmans bd	16
18	E11	Europe pl. de l'	8	29	J9 *N*	Exposition r. de l'	7
10	D19 *N*	Euryale-Dehaynin r.	19	27	H6-G6	Eylau av. d'	16
8-9	C16-B18	Evangile r. de l'	18	16	F7 *S*	Eylau villa d'	16

f

29	H10-J10	Fabert r.	7	32	J16	Ferdinand-Duval r.	4
47	L21 *N*	Fabre-d'Eglantine r.	12	40	M8	Ferdinand-Fabre r.	15
33	G18	Fabriques cour des	11	7	C14 *N*	Ferdinand-Flocon r.	18
44-56	N16 *S*	Fagon r.	13	35	K22-J22	Ferdinand-Gambon r.	20
34	K19	Faidherbe r.	11	16	E7	Férembach cité	17
15-27	F5-G5	Faisanderie r. de la	16	42	N12-M11	Fermat pass.	14
7	B13 *N*	Falaise cité	18	42	N12 *N*	Fermat r.	14
35	G22	Falaises villa des	20	20	E16-E15	Ferme-St-Lazare cour	10
7	C14 *S*	Falconet r.	18	20	E16 *S*	Ferme-St-Lazare pass.	10
41	M10 *N*	Falguière cité	15	31	H14 *N*	Fermes cour des	1
41	N10 *N*	Falguière pl.	15	5	C10 *S*	Fermiers r. des	17
41	L10-M10	Falguière r.	15	5-4	C9-C8	Fernand-Cormon r.	17
40	K7 *S*	Fallempin r.	15	5-17	D10	Fernand-de-la-Tombelle	17
38	M4	Fantin-Latour r.	16			sq.	
16	D7 *S*	Faraday r.	17	39	K6	Fernand-Forest pl.	15
21	G17-F18	Faubourg-du-Temple r. du		48	L23 *N*	Fernand-Foureau r.	12
		n°s impairs 10° - n°s pairs	11	7	A14 *S*	Fernand-Labori r.	18
19	F14-E14	Faubg-Montmartre r. du	9	34	H20 *N*	Fernand-Léger r.	20
20	F15-D15	Faubg-Poissonnière r. du		6	A11 *S*	Fernand-Pelloutier r.	17
		n°s impairs 9° - n°s pairs	10	56	S16 *N*	Fernand-Widal r.	13
33-47	K18-K21	Faubourg-St-Antoine r. du		43	K13	Férou r.	6
		n°s impairs 11° - n°s pairs	12	32-31	H15-H14	Ferronnerie r. de la	1
20	F15-D16	Faubourg-St-Denis r. du	10	55	N14-P14	Ferrus r.	14
18-16	G11-E8	Faubourg-St-Honoré r. du	8	22	E20-E19	Fessart r.	19
43	M13-N13	Faubourg-St-Jacques r. du	14	23	E21 *S*	Fêtes pl. des	19
20-21	G16-D17	Faubourg-St-Martin r. du	10	22	E20	Fêtes r. des	19
22	F20	Faucheur villa	20	43	M14 *N*	Feuillantines r. des	5
32	K16-J16	Fauconnier r. du	4	7	D14-C14	Feutrier r.	18
27	H5 *S*	Faustin-Hélie r.	16	19	F14 *S*	Feydeau galerie	2
6	C12	Fauvet r.	18	19	F14 *S*	Feydeau r.	2
19	F13 *S*	Favart r.	2	20	F16 *N*	Fidélité r. de la	10
41	M9	Favorites r. des	15	32	J16 *S*	Figuier r. du	4
47	N21-M22	Fécamp r. de	12	33	H17	Filles-du-Calvaire bd des	
28	J7-K8	Fédération r. de la	15			n°s impairs 3° - n°s pairs	11
31	K13 *N*	Félibien r.	6	33	H17	Filles-du-Calvaire r. des	3
27-39	K5 *S*	Félicien-David r.	16	19	G13 *N*	Filles-St-Thomas r. des	2
56	S15 *N*	Félicien-Rops av.	13	9	B17	Fillettes r. des	18
5	D9-C10	Félicité r. de la	17	29	H10	Finlande pl. de	7
37	N2 *N*	Félix d'Hérelle av.	16	6	B12	Firmin-Gémier r.	18
47	M21	Félix-Eboué pl.	12	40-52	N7 *S*	Firmin-Gillot r.	15
40-39	L7-M5	Félix-Faure av.	15	53	N9-P9	Fizeau r.	15
39	M6	Félix-Faure r.	15	9	C18 *S*	Flandre pass. de	19
39	E21 *N*	Félix-Faure villa	19	9-10	D17-B19	Flandre r. de	19
47	K22 *S*	Félix-Huguenet r.	20	27-15	G5-F5	Flandrin bd	16
36	J23 *N*	Félix-Terrier r.	20	43	M14 *S*	Flatters r.	5
34	J20 *N*	Félix-Voisin r.	11	19	E13 *S*	Fléchier r.	9
7	C13	Félix-Ziem r.	18	6	C11-B11	Fleurs cité des	17
19	E14	Fénelon cité	9	6	B12 *N*	Fleurs imp. des	17
20	E15	Fénelon r.	10	32	K15-J15	Fleurs quai aux	4
40	M8	Fenoux r.	15	42	L12 *N*	Fleurus r. de	6
44	M16-M15	Fer-à-Moulin r. du	5	20	D15	Fleury r.	18
32	G16	Ferdinand-Berthoud r.	3	55	R14	Florale cité	13
42-54	N12 *S*	Ferdinand-Brunot pl.	14	26-38	K4	Flore villa	16
37	N2-M2	Ferdinand-Buisson av.	16	6	A11	Floréal r.	17
59	N21 *S*	Ferdinand-de-Béhagle r.	12	18	D12 *S*	Florence r. de	8

27-39	K5	Florence-Blumenthal r.	16
22	E20	Florentine cité	19
38	L4 N	Florentine-Estrade cité	16
35	J22-H22	Florian r.	20
53	N10 S	Florimont imp.	14
6	B12 N	Flourens pass.	17
16-15	F7-F5	Foch av.	16
33	J17	Foin r. du	3
33-21	H18-G17	Folie-Méricourt r. de la	11
34	H20	Folie-Regnault pass.	11
34	J20-H20	Folie-Regnault r. de la	11
40	K7-L8	Fondary r.	15
40	L8 N	Fondary villa	15
33	G18	Fonderie pass. de la	11
46	M20 S	Fonds-Verts r. des	12
19	E13-D13	Fontaine r.	9
56	R15	Fontaine-à-Mulard r. de la	13
21-22	G17-G19	Fontaine-au-Roi r. de la	11
10-11	D20	Fontainebleau allée de	19
7	C13	Fontaine-du-But r. de la	18
32	G16 S	Fontaines-du-Temple r. des	3
35	J22 N	Fontarabie r. de	20
22	E20	Fontenay villa de	19
29	K9	Fontenoy pl. de	7
10	A20	Forceval r.	19
6	D12 N	Forest r.	18
33	H17 N	Forez r. du	3
34	K19	Forge-Royale r. de la	11
20-32	G15	Forges r. des	2
5-4	B9-B8	Fort-de-Vaux bd du	17
17	F9	Fortin imp.	8
17	D9 S	Fortuny r.	17
44	K16-L15	Fossés-St-Bernard r. des	5
43	L14	Fossés-St-Jacques r. des	5
44	M16	Fossés-St-Marcel r. des	5
32	K15	Fouarre r. du	5
56	R15-P15	Foubert pass.	13
28	H8 N	Foucault r.	16
24	F23	Fougères r. des	20
31-30	K13-K12	Four r. du	6
40	M8 S	Fourcade r.	15
16	E8-D8	Fourcroy r.	17
32	J16 S	Fourcy r. de	4
6	C11	Fourneyron r.	17
19	D14	Foyatier r.	18
5	B10	Fragonard r.	17
32	H15-G15	Française r. nos 1-5, 2-6	1
		nos 7-fin, 8-fin	2
33	G17 S	Franche-Comté r. de	3
34	J19 S	Franchemont imp.	11
8	C16	Francis-Carco r.	18
7	A14	Francis-de-Croisset r.	18
56	S15	Francis-de-Miomandre r.	13
41	N10	Francis-de-Pressensé r.	14
6	A12 S	Francis-Garnier r.	17
43	K13 S	Francis-Poulenc sq.	6
31	K14 N	Francisque-Gay r.	6
27	H6 S	Francisque-Sarcey r.	16
57	R18 S	Franc-Nohain r.	13
7	C14	Francœur r.	18
41	L9	François-Bonvin r.	15
40	M7	François-Coppée r.	15
34	J19	François-de-Neufchâteau r.	11
38	K4 S	François-Gérard r.	16
27-39	K5	François-Millet r.	16
32	J15-J16	François-Miron r.	4
40	M7	François-Mouthon r.	15
22	D20 S	François-Pinton r.	19
27	J5-H5	François-Ponsard r.	16
29	G9 S	François-Ier pl.	8
29-16	G9-G8	François-Ier r.	8
40	M8 S	François-Villon r.	15
28	H8	Franco-Russe av.	7
33-32	J17-H16	Francs-Bourgeois r. des nos impairs 4e - nos pairs	3
27	H6 S	Franklin r.	16
29-17	G10-F10	Franklin-D.-Roosevelt av.	15
41	N9	Franquet r.	15
27-26	H5-H4	Franqueville r. de	16
20	E15	Franz-Liszt pl.	10
23	D21 S	Fraternité r. de la	19
17	F9	Frédéric-Bastiat r.	8
6	A12 S	Frédéric-Brunet r.	17
22-23	F20-F21	Frédérick-Lemaître r.	20
29	J9 S	Frédéric-Le-Play av.	7
47	K22 S	Frédéric-Loliée r.	20
40	L7-M7	Frédéric-Magisson r.	15
39	M6	Frédéric-Mistral r.	15
23	E22 N	Frédéric-Mourlon r.	19
32	K15	Frédéric-Sauton r.	5
7	A13 S	Frédéric-Schneider r.	18
41	N9 N	Frédéric-Vallois sq.	15
40	L8 N	Frémicourt r.	15
27	J6 N	Frémiet av.	16
35	J22	Fréquel pass.	20
24	F23-E23	Frères-Flavien r. des	20
40	L7-M7	Frères-Morane r. des	15
28	G8 S	Frères-Périer r. des	16
50-51	P4-P5	Frères-Voisin allée des	15
50-51	P4-P5	Frères-Voisin bd des	15
28	H8-H7	Fresnel r.	16
28	G8 S	Freycinet r.	16
54	P11-R11	Friant r.	14
17-16	F9-F8	Friedland av. de	9
19	D13 S	Frochot av.	9
19	D13 S	Frochot r.	9
42	M12-M11	Froidevaux r.	14
33	H17	Froissart r.	3
33	J18 N	Froment r.	11
19	D13 S	Fromentin r.	9
45	M18 S	Fulton r.	13
31	J13 S	de Furstemberg r.	6
54	P11 N	Furtado-Heine r.	14
43	M13	Fustel-de-Coulanges r.	5

Abréviations - Abbreviations - Abkürzungen - Abreviaturas

av.	:	avenue	pl. :	place
bd	:	boulevard	pte :	porte
carr.	:	carrefour	r. :	rue
imp.	:	impasse	rd-pt :	rond-point
pass.	:	passage	sq. :	square

48	L23	**Gabon r. du**	12
30-17	G11-G10	**Gabriel av.**	8
17	D10	**Gabriel-Fauré sq.**	17
46	N20 *N*	**Gabriel-Lamé r.**	12
20	F15	**Gabriel-Laumain r.**	10
7	D14-D13	**Gabrielle r.**	18
42	L11 *S*	**Gabrielle villa**	15
22	F19	**Gabrielle-d'Estrées allée**	19
18	F11 *N*	**Gabriel-Péri pl.**	8
32	G16 *S*	**Gabriel-Vicaire r.**	3
41	M9 *S*	**Gager-Gabillot r.**	15
23	F22-E22	**Gagliardini villa**	20
19	G13 *N*	**Gaillon pl.**	2
19	G13 *N*	**Gaillon r.**	2
42	M11-M12	**Gaîté imp. de la**	14
42	M11	**Gaîté r. de la**	14
32-31	K15-K14	**Galande r.**	5
17	F9	**Galerie 34**	8
16	G7-F8	**Galilée r.** nos 1-53 - 2-50	16
		nos 55-fin - 52-fin	8
35	J22-H22	**Galleron r.**	20
28	G8 *S*	**Galliera r. de**	16
16	D7	**Galvani r.**	17
34-23	H20-E22	**Gambetta av.**	20
23	F22	**Gambetta pass.**	20
23	F22	**Gambetta petite-imp.**	20
35	G21 *S*	**Gambetta pl.**	20
33	G18 *S*	**Gambey r.**	11
56	R16-S16	**Gandon r.**	13
56	R16-S16	**Gandon ruelle**	13
6	D12-C12	**Ganneron r.**	18
31-43	K13	**Garancière r.**	6
8	D15 *N*	**Gardes r. des**	18
46-45	N19-N18	**Gare port de la**	13
58	P19-20	**Gare porte de la**	13
58-45	P19-N18	**Gare quai de la**	13
9	A18	**Gare r. de la**	19
47	M21-L21	**Gare-de-Reuilly r. de la**	12
41	L9	**Garibaldi bd**	15
38	M4	**Garigliano pont du**	16-15
42	L11	**Garnier imp.**	15
7	D13 *N*	**Garreau r.**	18
36	J23 *S*	**Gascogne sq. de la**	20
35	G21 *S*	**Gasnier-Guy r.**	20
24	N12	**Gassendi r.**	14
53	P10	**Gaston-Bachelard allée**	14
16	E7	**Gaston-Bertandeau sq.**	17
52	P8-P7	**Gaston-Boissier r.**	15
7	C14	**Gaston-Couté r.**	18
9	A18-A17	**Gaston-Darboux r.**	18
27-39	K6	**Gaston-de-Caillavet r.**	15
28	H8-G8	**Gaston-de-St-Paul r.**	16
22	D20 *S*	**Gaston-Pinot r.**	19
9	B18	**Gaston-Tessier r.**	19
9	A17	**Gaston-Tissandier r.**	18
46	L19	**Gatbois pass.**	12
35	G21 *S*	**Gâtines r. des**	20
34	G19 *S*	**Gaudelet imp.**	11
55	P13 *S*	**Gauguet r.**	14
4	C8	**Gauguin r.**	17
6	C11-B11	**Gauthey r.**	17
52	F19-E19	**Gauthier pass.**	20
27	J6 *N*	**Gavarni r.**	16
43	L14-M14	**Gay-Lussac r.**	5
55	R14	**Gazan r.**	14
17	D10-D11	**Geoffroy-Didelot pass.**	17
15	E5-F5	**Général-Anselin r. du**	16
15	G5 *N*	**Général-Appert r. du**	16
48	M23	**Général-Archinard r. du**	12
27	J5	**Général-Aubé r. du**	16
38	L3	**Général-Balfourier av. du**	16
28	K8	**Général-Baratier r. du**	15
41	K10-L10	**Général-Bertrand r. du**	7
41	M9 *N*	**Général-Beuret pl. du**	15
41	M9 *N*	**Général-Beuret r. du**	15
34	H19	**Général-Blaise r. du**	11
17	E9	**Général-Brocard pl. du**	8
22-23	E20-D21	**Général-Brunet r. du**	19
28	H8 *S*	**Général-Camou r. du**	7
17	D10	**Général-Catroux pl. du**	17
38	N3 *N*	**Général-Clavery av. du**	16
15	G6-F6	**Général-Clergerie r. du**	16
11	D21 *N*	**Général-Cochet pl. du**	19
28-40	K8	**Général-de-Castelnau r. du**	15
59-58	P21-P20	**Gén.-de-Langle-de-Cary r.**	12
28-40	K8	**Général-de-Larminat r. du**	15
38-37	L3-M2	**Général-Delestraint r. du**	16
53	R10 *N*	**Général-de-Maud'huy r. du**	14
28	J8-K8	**Général-Détrie av. du**	7
47	N22	**Général-Dodds av. du**	12
26	J4 *S*	**Général-Dubail av. du**	16
29	G10	**Général-Eisenhower av. du**	8
39	L6	**Général-Estienne r. du**	15
18-17	E11-E10	**Général-Foy r. du**	8
28	J8 *N*	**Général-Gouraud pl. du**	7
28	M3 *S*	**Général-Grossetti r. du**	16
34	H19	**Général-Guilhem r. du**	11
52	P7	**Général-Guillaumat r. du**	15
6	B12 *N*	**Général-Henrys r. du**	17
53	P9 *S*	**Général-Humbert r. du**	14
15	D6 *S*	**Général-Koenig pl. du**	17
28	J8-J7	**Général-Lambert r. du**	7
27	H5 *N*	**Général-Langlois r. du**	16
16	E7 *S*	**Général-Lanrezac r. du**	17
47-48	N22-N23	**Général-Laperrine av. du**	12
38	K4 *S*	**Général-Largeau r. du**	16
22	F19 *N*	**Général-Lasalle r. du**	19
42-54	N12-R12	**Général-Leclerc av. du**	14
30	H12	**Général-Lemonnier av. du**	1
38-39	M4-N5	**Général-Lucotte r. du**	15
53	R10 *N*	**Général-Maistre av. du**	14
38	M3-N3	**Général-Malleterre r. du**	16
27	J6 *S*	**Général-Mangin av. du**	16
48	M23 *S*	**Général-Messimy av. du**	12
47	N21-M22	**Général-Michel-Bizot av.**	12
41	N9	**Général-Monclar pl. du**	15
48	K23 *S*	**Général-Niessel r. du**	20
38	M3 *S*	**Général-Niox r. du**	16
15-16	E6-E7	**Général-Patton pl. du**	16
34	H19	**Général-Renault r. du**	11
37	M2	**Général-Roques r. du**	16
22	E19	**Général-San-Martin av. du**	19
37	L2	**Général-Sarrail av. du**	16
53	P10 *S*	**Gén.-Séré-de-Rivières r.**	14
37	M2	**Général-Stéfanik pl. du**	16
28	J8 *S*	**Général-Tripier av. du**	7
24	E23	**Général-Zarapoff sq. du**	19
22	F19 *S*	**Gênes cité de**	20
46	K20 *S*	**Génie pass. du**	12
55	S14	**Gentilly porte de**	13

36-35	G23-G22	Géo-Chavez r.	20
32	H15	Geoffroy-l'Angevin r.	4
32	J16 S	Geoffroy-l'Asnier r.	4
19	F14	Geoffroy-Marie r.	9
44	M16-L16	Geoffroy-St-Hilaire r.	5
28-16	G8-F8	George-V av.	8
56	P16	George-Eastman r.	13
36	J23 S	Georges-Ambroise-Boisselat-et-Blanche cité	20
26-38	K4 S	George-Sand r.	16
26-38	K4	George-Sand villa	16
17	E10-D10	Georges-Berger r.	17
43	M13	Georges-Bernanos av.	5
18	F12 N	Georges-Berry pl.	9
16-28	G8	Georges-Bizet r.	16
55	R13	Georges-Braque r.	14
40	K7 S	Georges-Citerne r.	15
47	M21-N21	Georges-Contenot sq.	12
54	R12 S	Georges-de-Porto-Riche r.	14
44	M15 N	Georges-Desplas r.	5
16-17	F8-F9	Georges-Guillaumin pl.	8
53	P10-R9	Georges-Lafenestre av.	14
37	M2-N2	Georges-Lafont av.	16
21-22	E18-E19	Georges-Lardennois r.	19
45	L17 N	Georges-Lesage sq.	12
26	H4	Georges-Leygues r.	16
27	H6-H5	Georges-Mandel av.	16
41	L10 N	Georges-Mulot pl.	15
41	N10	Georges-Pitard r.	15
32	H15	Georges-Pompidou pl.	4
38-58	M4-P20	Georges-Pompidou voie	16
21	E18	Georges-Récipon allée	19
38	M3	Georges-Risler av.	16
22	G19 N	Georges-Rouault allée	20
54	N11 S	Georges-Saché r.	14
16	F7 S	Georges-Ville r.	16
7	B13	Georgette-Agutte r.	18
23	F21	Georgina villa	20
19	D14 S	Gérando r.	9
56	P15 N	Gérard pass.	13
56	P15	Gérard r.	13
7	A13	Gérard-de-Nerval r.	18
26	G4	Gérard-Philipe r.	16
40	M8	Gerbert r.	15
34	J20 N	Gerbier r.	11
41	N10	Gergovie pass. de	14
41-54	N10-N11	Gergovie r. de	14
38	K3 S	Géricault r.	16
19	D13	Germain-Pilon cité	18
19	D13	Germain-Pilon r.	18
4	C8 S	Gervex r.	17
32	J15	Gesvres quai de	4
45	M18 S	Giffard r.	13
7	A14	Ginette-Neveu r.	18
39-40	K6-L7	Ginoux r.	15
54	P11 S	Giordano-Bruno r.	14
7	C13 S	Girardon imp.	18
7	C13	Girardon r.	18
38	K3 S	Girodet r.	16
10	B20-A19	Gironde quai de la	19
31	J14 S	Git-le-Cœur r.	6
43-55	M14-P14	Glacière r. de la	13
24	E23	Glaïeuls r. des	20
19-18	F13-F12	Gluck r.	9
55	R14	Glycines r. des	13
44	M15-N15	Gobelins av. des	
		nos 1-23 - 2-22	5
		nos 25-fin - 24-fin	13
44	N16-N15	Gobelins cité des	13
44	N15 N	Gobelins r. des	13
44	N15	Gobelins villa des	13
34	J19	Gobert r.	11
56	N16 S	Godefroy r.	13
34	J19	Godefroy-Cavaignac r.	11
35	H22 S	Godin villa	20
18	F12 S	Godot-de-Mauroy r.	9
28	G8 S	Gœthe r.	16
9-21	D17 N	Goix pass.	19
18	G12	Gomboust imp.	1
19-31	G13	Gomboust r.	1
21	G18 N	Goncourt r. des	11
34-46	K20	Gonnet r.	11
37	L2 N	Gordon-Bennett av.	16
47	M22	Gossec r.	12
35-47	K22 S	Got sq.	20
10-22	D20	Goubet r.	19
16	D8	Gounod r.	17
4	D8 N	Gourgaud av.	17
56	R15 S	Gouthière r.	13
8-20	D15	Goutte-d'Or r. de la	18
16-15	D7-E6	Gouvion-St-Cyr bd	17
15-16	D6-D7	Gouvion-St-Cyr sq.	17
31	J13 S	Gozlin r.	6
21	F18	Grâce-de-Dieu cour de la	10
44	M15-L15	Gracieuse r.	5
16-15	D7-D6	Graisivaudan sq. du	17
40	L8	Gramme r.	15
19	G13-F13	de Gramont r.	2
42	N12	de Grancey r.	14
32	G15 S	Grand-Cerf pass. du	2
16-15	F7-E6	Grande-Armée av. de la	
		nos impairs 16e - nos pairs	17
16	E7 S	Grande-Armée villa de la	17
42	L12 S	Grande-Chaumière r. de la	6
32	H15 N	Grande-Truanderie r. de la	1
33	G17 S	Grand-Prieuré r. du	11
31	J14	Grands-Augustins quai des	6
31	J14 S	Grands-Augustins r. des	6
35-36	K22-K23	Grands-Champs r. des	20
32	K15	Grands-Degrés r. des	5
43	N14 N	Grangé sq.	13
21	F17-E18	Grange-aux-Belles r. de la	10
19	F14	Grange-Batelière r. de la	9
47	N21 N	Gravelle r. de	12
32	H16 N	Gravilliers pass. des	3
32	H16-G15	Gravilliers r. des	3
18	F12	Greffulhe r.	8
31	J13-K13	Grégoire-de-Tours r.	6
11	C21	Grenade r. de la	19
28-40	J7-K8	Grenelle bd de	15
27-39	K5-K6	Grenelle pont de	16-15
28-27	J7-K6	Grenelle port de	15
28-27	J7-K6	Grenelle quai de	15
30-29	K12-J9	Grenelle r. nos 1-7 - 2-10	6
		nos 9-fin - 12-fin	7
40	K7 S	Grenelle villa de	15
32	G15 S	Greneta cour	2
32	G15 S	Greneta r. nos 1-15 - 2-10	2
		nos 17-fin - 12-fin	
32	H15 N	Grenier-St-Lazare r. du	3
32	J16 S	Grenier-sur-l'Eau r. du	4
35	H22 S	Grés pl. des	20
10	C19 N	Gresset r.	19
19	F13 S	Grétry r.	2
27	H6-G6	Greuze r.	16
30	J12	Gribeauval r. de	7
44	M16-M15	Gril r. du	5
22	D20 S	Grimaud imp.	19
41	K9 S	Grisel imp.	15
34	G19	Griset cité	11

35	J22	Gros imp.	20
27-39	K5	Gros r.	16
29	H9 N	Gros-Caillou port du	7
29	J9 N	Gros-Caillou r. du	7
7	B13	Grosse-Bouteille imp.	18
23	G22-F22	Groupe-Manouchian r. du	20
9-8	C17-C16	Guadeloupe r. de la	18
18	E11 S	Guatemala pl. du	8
38	M3 S	Gudin r.	16
8	B16 N	Gué imp. du	18
24	F23	de Guébriant r.	20
19	D13	Guelma imp. de	18
33	J17 S	Guéménée imp.	4
31	J13	Guénégaud r.	6
34	K20	Guénot pass.	11
35-34	K21-K20	Guénot r.	11
32	G15	Guérin-Boisseau r.	2
16	E7-D7	Guersant r.	17
28	K8 N	du Guesclin pass.	15
28	K8 N	du Guesclin r.	15
27	H5	Guibert villa	16
27	J5 N	Guichard r.	16
23	F21 S	Guignier pl. du	20
23	F21 S	Guignier r. du	20
34	H19	Guilhem pass.	11
31	J13 S	Guillaume-Apollinaire r.	6
34	H19 N	Guillaume-Bertrand r.	11
16	D7-D8	Guillaume-Tell r.	17
46-45	L19-L18	Guillaumot r.	12
42-41	N11-N10	Guilleminot r.	14
32	J16 N	Guillemites r. des	4
31	K13 N	Guisarde r.	6
16	E7	Guizot villa	16
15	D6-E6	Gustave-Charpentier r.	17
28	H7	Gustave-V-de-Suède av.	16
27	G6	Gustave-Courbet r.	16
5	D9 N	Gustave-Doré r.	17
28	J8 N	Gustave-Eiffel av.	7
16	D8 S	Gustave-Flaubert r.	17
44	N15 N	Gustave-Geffroy r.	13
20	F16 S	Gustave-Goublier r.	10
40	L8 S	Gustave-Larroumet r.	15
54	R11	Gustave-Le Bon r.	14
34	J20	Gustave-Lepeu pass.	11
27	H5 S	Gustave-Nadaud r.	16
7	B14 N	Gustave-Rouanet r.	18
19	E13	Gustave-Toudouze pl.	9
27	J5	Gustave-Zédé r.	16
39	L6-M5	Gutenberg r.	15
5	B10	Guttin r.	17
48	N23-M23	Guyane bd de la	12
44	L16	Guy-de-la-Brosse r.	5
27	H5 N	Guy-de-Maupassant r.	16
36	J23	Guyenne sq. de la	20
6	C11-B12	Guy-Môquet r.	17
43	K13-L13	Guynemer r.	6
20	D15 S	Guy-Patin r.	10
56	R15 N	Guyton-de-Morveau r.	13

9	A18	Haie-Coq r. de la	19
35	J22 S	Haies pass. des	20
35	K22-J22	Haies r. des	20
10	D20-C20	Hainaut r. du	19
19	F13	Halévy r.	9
55-54	P13-P12	Hallé r.	14
54	P12 N	Hallé villa	14
31	H14 S	Halles r. des	1
40-39	N7-N6	Hameau r. du	15
16-28	G7	Hamelin r.	16
19	F13 S	Hanovre r. de	2
35	H22	Hardy villa	20
31	J14	de Harlay r.	1
53	N9 S	Harmonie r. de l'	15
31	K14 N	Harpe r. de la	5
36	J23 N	Harpignies r.	20
22	E19	Hassard r.	19
32	H16	Haudriettes r. des	3
19-17	F13-F9	Haussmann bd	
		n°s 1-53 - 2-70	9
		n°s 55-fin - 72-fin	8
31	K14 N	Hautefeuille imp.	6
31	K14 N	Hautefeuille r.	6
22	D20 S	Hauterive villa d'	19
57	P17	Hautes-Formes imp. des	13
20	E15 S	d'Hauteville cité	10
20	F15-E15	d'Hauteville r.	10
32	K15	Haut-Pavé r. du	5
10	D20 N	d'Hautpoul imp.	19
10-22	D20	d'Hautpoul r.	19
18	E12 S	Havre cour du	8
18	F12 N	Havre pass. du	9
18	E12-F12	Havre pl. du n°s impairs	8
		n°s pairs	9
18	F12 N	Havre r. du	
		n°s impairs	8
		n°s pairs	2
23-24	G22-G23	Haxo imp.	20
23	G22-E22	Haxo r. n°s 1-113, 2-110	20
		n°s 115-fin, 112-fin	19
9	B17	Hébert pl.	18
21	F18	Hébrard pass.	10
46	L19 S	Hébrard ruelle des	12
45	L18	Hector-Malot r.	12
6	C12 S	Hégésippe-Moreau r.	18
19	F13	Helder r. du	9
6	D12-D11	Hélène r.	17
16-4	D7 N	Héliopolis r. d'	17
46	L19	Hennel pass.	12
19	E13 N	Henner r.	9
54	R12	Henri-Barboux r.	14
43	L13-M13	Henri-Barbusse r.	
		n°s 1-53, 2-60	5
		n°s 55-fin, 62-fin	14
55	R14 N	Henri-Becque r.	13
18	E11 S	Henri-Bergson pl.	8
40	M7 N	Henri-Bocquillon r.	15
7	A13 S	Henri-Brisson r.	18
22	G20-F20	Henri-Chevreau r.	20
26	H4	Henri-de-Bornier r.	16
54	N12 S	Henri-Delormel sq.	14
23	F22	Henri-Dubouillon r.	20
40	L7 N	Henri-Duchêne r.	15
5-17	D10	Henri-Duparc sq.	17

36	H23	Henri-Duvernois r.	20
21	F18 *N*	Henri-Feulard r.	10
15	F5	Henri-Gaillard pass.	16
26	K4 *N*	Henri-Heine r.	16
7-6	A13-A12	Henri-Huchard r.	18
27-26	H5-H4	Henri-Martin av.	16
29	H9	Henri-Moissan r.	7
31	K13 *N*	Henri-Mondor pl.	6
19	E13 *N*	Henri-Monnier r.	9
21	E18	Henri-Murger r.	19
56	R16-R15	Henri-Pape r.	13
23	G22-F22	Henri-Poincaré r.	20
32-33	K16-K17	Henri-IV bd	4
31	H13 *N*	Henri-IV pass.	1
45-32	L17-K16	Henri-IV port	4
45-32	L17-K16	Henri-IV quai	4
41	L10	Henri-Queuille pl.	15
34	J20-H20	Henri-Ranvier r.	11
54	R12 *N*	Henri-Regnault r.	14
23	E21	Henri-Ribière r.	19
31	J14	Henri-Robert r.	1
17	D9 *S*	Henri-Rochefort r.	17
40	N7 *N*	Henri-Rollet pl.	15
21	E18 *S*	Henri-Turot r.	19
26	J3	Henry-Bataille sq.	16
53	R10 *N*	Henry-de-Bournazel r.	14
31	K13	Henry-de-Jouvenel r.	6
38	N3	Henry-de-la-Vaulx r.	16
38-39	K4-K5	Henry-Paté sq.	16
39	K6 *S*	Héricart r.	15
8	B15	Hermann-Lachapelle r.	18
7	C14 *N*	Hermel cité	18
7	C14-B14	Hermel r.	18
31	G14 *S*	Herold r.	1
21	F17 *N*	Héron cité	10
27	G6 *S*	Herran r.	16
10	G5 *S*	Herran villa	16
43	L13 *S*	Herschel r.	6
41	M9 *S*	Hersent villa	15
19	E14 *S*	Hippolyte-Lebas r.	9
42-54	N11-P11	Hippolyte-Maindron r.	14
31	J14 *S*	Hirondelle r. de l'	6
20	F16 *S*	Hittorff cité	10
20	F16	Hittorff r.	10
21-22	E18-E19	Hiver cité	4
17-16	E9-F8	Hoche av.	8
43-42	K13-K12	Honoré-Chevalier r.	6
45-44	L17-N16	Hôpital bd de l'	
		nos 1-fin, 44-fin	13
		nos 2-42	5
21	F17 *N*	Hôpital-St-Louis r. de l'	10
31	J14	Horloge quai de l'	1
32	H15	Horloge-à-Automates pass. de l'	3
32	J16 *N*	Hospitalières-St-Gervais r.	4
32	J16	Hôtel-d'Argenson imp.	4
32	K15	Hôtel-Colbert r. de l'	5
32	J15	Hôtel-de-Ville pl. de l'	4
32	J16-J15	Hôtel-de-Ville port de l'	4
32	J16-J15	Hôtel-de-Ville quai de l'	4
32	J16-J15	Hôtel-de-Ville r. de l'	4
33	J17 *S*	Hôtel-St-Paul r. de l'	4
34	H20 *N*	Houdart r.	20
40	M7	Houdart-de-Lamotte r.	15
19	D13	Houdon r.	18
31	K14 *N*	Huchette r. de la	5
20	E16 *S*	Huit-Mai-1945 r. du	10
31	G13 *S*	Hulot pass.	1
28	K7	Humblot r.	15
42	M12 *N*	Huyghens r.	14
42	L12 *N*	Huysmans r.	6

i

36	G23	Ibsen av.	20
28-16	H7-F8	Iéna av. d'	16
28	G7	Iéna pl. d'	16
28	H7	Iéna pont d'	16-7
32	H15	Igor-Stravinsky pl.	4
35	J22-J21	Ile-de-France imp. de l'	20
43	N13	Ile-de-Sein pl. de l'	14
35-47	K21 *S*	Immeubles-Industriels r.	11
23-11	D21-C21	Indochine bd d'	19
35	H22	Indre r. de l'	20
34	G19 *S*	Industrie cité de l'	11
34	K20	Industrie cour de l'	11
20	F16-F15	Industrie pass. de l'	10
56	R16	Industrie r. de l'	13
34	J19-H19	Industrielle cité	11
39	K6-L6	Ingénieur-Robert-Keller r.	15
26	J4 *N*	Ingres av.	16
32-31	H15-H14	Innocents r. des	1
23	E21	Inspecteur-Allès r. de l'	19
31	J13 *N*	Institut pl. de l'	6
52	P7	Insurgés-de-Varsovie pl.	15
18	E12	Intérieure r.	8
56	R15	Interne-Loeb r. de l'	13
29-41	J10-L10	Invalides bd des	7
29	H10	Invalides esplanade des	7
29	J10 *N*	Invalides pl. des	7
29	H10 *N*	Invalides pont des	8-7
35-36	G22-G23	Irénée-Blanc r.	20
55	R14	Iris r. des	13
23	E22	Iris villa des	19
43	L14	Irlandais r. des	5
38	K3 *S*	Isabey r.	16
20	D15	Islettes r. des	18
31	F12 *N*	Isly r. de l'	8
5	D9 *N*	Israël pl. d'	17
38	N4	Issy quai d'	15
39	N6	Issy-l.-Moulineaux pte d'	15
38	M4-N4	Issy-l.-Moulineaux qu. d'	15
56	P16-S16	Italie av. d'	13
56	N16 *S*	Italie pl. d'	13
56	S16	Italie porte d'	13
56	R16-R15	Italie r. d'	13
19	F13	Italiens bd des	
		nos impairs	2
		nos pairs	9
19	F13	Italiens r. des	9
57-56	R17-P16	Ivry av. d'	13
57	S18 *N*	Ivry porte d'	13
58	P20	Ivry quai d'	13

31	J13	**Jacob r.**	6	42	L11 *N*	**Jean-Ferrandi r.**	6
33	G18 *S*	**Jacquard r.**	11	40	M8 *N*	**Jean-Formigé r.**	15
6	C11 *S*	**Jacquemont r.**	17	42	L12-L11	**Jean-François-Gerbillon r.**	6
6	C11 *S*	**Jacquemont villa**	17	8	D16 *N*	**Jean-François-Lépine r.**	18
30	J11 *N*	**Jacques-Bainville pl.**	7	16	F16-G8	**Jean-Giraudoux r.**	16
53	P9	**Jacques-Baudry r.**	15	47	N22 *N*	**Jean-Godard villa**	12
17	D10	**Jacques-Bingen r.**	17	29	G9	**Jean-Goujon r.**	8
20	F16 *S*	**Jacques-Bonsergent pl.**	10	7	A14-A13	**Jean-Henri-Fabre r.**	18
31	J13	**Jacques-Callot r.**	6	16	F8-G8	**Jean-Henry-Dunant pl.**	8
6	B12	**Jacques-Cartier r.**	18	15	G5 *N*	**Jean-Hugues r.**	16
33	K17 *N*	**Jacques-Cœur r.**	4	31	H14-G14	**Jean-Jacques-Rousseau r.**	1
31	K13-J13	**Jacques-Copeau pl.**	6	9-11	D18-C21	**Jean-Jaurès av.**	19
6	C12 *N*	**Jacques-Froment pl.**	18	31	J14-H14	**Jean-Lantier r.**	1
2	C7	**Jacques-Ibert r.**	17	6	B12	**Jean-Leclaire r.**	17
9-8	D17-D16	**Jacques-Kablé r.**	18	38	K3-K4	**Jean-Lorrain pl.**	16
6	B12-B11	**Jacques-Kellner r.**	17	4	C8	**Jean-Louis-Forain r.**	17
21	F17-F18	**Jacques-Louvel-Tessier r.**	10	34	K19 *N*	**Jean-Macé r.**	11
40	M7 *S*	**Jacques-Mawas r.**	15	39-40	M6-M7	**Jean-Maridor r.**	15
27	J5	**Jacques-Offenbach r.**	16	56	P15	**Jean-Marie-Jégo r.**	13
19	F13	**Jacques-Rouché pl.**	9	22	E19 *N*	**Jean-Ménans r.**	19
33	K18 *N*	**Jacques-Viguès cour**	11	17	F10 *S*	**Jean-Mermoz r.**	8
54-53	P11-P10	**Jacquier r.**	14	21	F18	**Jean-Moinon r.**	10
17	E9-D9	**Jadin r.**	17	4	C7 *S*	**Jean-Moréas r.**	17
53	P10	**Jamot villa**	14	54	P12-R11	**Jean-Moulin av.**	14
22	F19-E19	**Jandelle cité**	19	57	P17	**Jeanne-d'Arc pl.**	13
23	E21	**Janssen r.**	19	57-44	P17-M16	**Jeanne-d'Arc r.**	13
35	G22-G21	**Japon r. du**	20	40	M8 *N*	**Jeanne-Hachette r.**	15
34	J19	**Japy r.**	11	29	H9-J9	**Jean-Nicot pass.**	7
31	K14 *N*	**Jardinet r. du**	6	29	H9	**Jean-Nicot r.**	7
34	K20 *N*	**Jardiniers imp. des**	11	26	J4 *S*	**Jean-Paul-Laurens sq.**	16
47	N21	**Jardiniers r. des**	12	21-22	G17-G19	**Jean-Pierre-Timbaud r.**	11
32	K16-J16	**Jardins-St-Paul r. des**	4	21	F17	**Jean-Poulmarch r.**	10
33	J17	**de Jarente r.**	4	23	E21	**Jean-Quarré r.**	19
20	F16	**Jarry r.**	10	28	J7	**Jean-Rey r.**	15
26	K4 *N*	**Jasmin cour**	16	27	H5	**Jean-Richepin r.**	16
26	K4 *N*	**Jasmin r.**	16	8	C16	**Jean-Robert r.**	18
26	K4 *N*	**Jasmin sq.**	16	57	P17-N17	**Jean-Sébastien-Bach r.**	13
47	L21 *N*	**Jaucourt r.**	12	52	P8	**Jean-Sicard r.**	15
39-38	K6-M4	**Javel port de**	15	40	L8 *N*	**Jean-Thébaud sq.**	15
39-40	L5-M7	**Javel r. de**	15	31	H14 *S*	**Jean-Tison r.**	1
57	P17-R17	**Javelot r. du**	13	7	A13 *S*	**Jean-Varenne r.**	18
34	G19 *S*	**Jean-Aicard av.**	11	36	H23	**Jean-Veber r.**	20
58	P20-P19	**Jean-Baptiste-Berlier r.**	13	42	M11 *S*	**Jean-Zay r.**	14
7	C13	**Jean-Baptiste-Clément pl.**	18	21	G17-E17	**Jemmapes quai de**	10
16	D7	**Jean-Baptiste-Dumas r.**	17	45-44	N17-N16	**Jenner r.**	13
22	F20 *N*	**Jean-Baptiste-Dumay r.**	20	4	D7	**Jérôme-Bellat sq.**	17
11-23	D22-D21	**Jean-Baptiste-Semanaz r.**	19	8-20	D16 *N*	**de Jessaint r.**	18
42	K12-L12	**Jean-Bart r.**	6	33	G17 *S*	**Jeu-de-Boules pass. du**	11
33	J17	**Jean-Beausire imp.**	4	19	G14 *N*	**Jeûneurs r. des**	2
33	J17 *S*	**Jean-Beausire pass.**	4	53	P10	**Joanès pass.**	14
33	J17 *S*	**Jean-Beausire r.**	4	54-53	P11-P10	**Joanès r.**	14
27	J6	**Jean-Bologne r.**	16	40	N8	**Jobbé-Duval r.**	15
45	L18	**Jean-Bouton r.**	12	27	G5 *S*	**Jocelyn villa**	16
44	M15 *N*	**Jean-Calvin r.**	5	29-28	J9-K8	**Joffre pl.**	7
28	K8 *N*	**Jean-Carriès r.**	7	20	G16	**Johann-Strauss pl.**	10
8	A15	**Jean-Cocteau r.**	18	10	C19 *N*	**de Joinville imp.**	19
57	P18-P17	**Jean-Colly r.**	13	10	C19	**de Joinville pl.**	19
8	B16	**Jean-Cottin r.**	18	10	C19	**de Joinville r.**	19
41	L9	**Jean-Daudin r.**	15	42	M11 *N*	**Jolivet r.**	14
43	K14 *S*	**Jean-de-Beauvais r.**	5	34	H19	**Joly cité**	11
43	N14-N13	**Jean-Dolent r.**	14	10	C19	**Jomard r.**	19
7	B13 *N*	**Jean-Dollfus r.**	18	56	P15 *N*	**Jonas r.**	13
32	K15 *N*	**Jean-du-Bellay r.**	4	53	P9 *N*	**Jonquilles r. des**	14
21	E18-E17	**Jean-Falck sq.**	10	53	P10	**Jonquoy r.**	14

41	K9-L9	José-Maria-de-Heredia r.	7	42	L12 *S*	Jules-Chaplain r.	6
27	H6	José-Marti pl.	16	36	J23	Jules-Chéret sq.	20
43	L13-M13	Joseph-Bara r.	6	27	H5	Jules-Claretie r.	16
57	R18 *S*	Joseph-Bédier av.	13	6-7	B12-B13	Jules-Cloquet r.	18
28	J8	Joseph-Bouvard av.	7	33	K17	Jules-Cousin r.	4
47	N22	Joseph-Chailley r.	12	23	G22 *N*	Jules-Dumien r.	20
7-6	D13-B12	Joseph-de-Maistre r.	18	52	P8 *N*	Jules-Dupré r.	15
7	B14	Joseph-Dijon r.	18	21-23	G17	Jules-Ferry bd	11
15	E5	Joseph-et-Marie-	16	42	M11-N11	Jules-Guesde r.	14
		Hackin r.		54	R12 *N*	Jules-Hénaffe pl.	14
29	J9 *S*	Joseph-Granier r.	7	27	H5 *S*	Jules-Janin av.	16
7	B13	Joséphine r.	18	7	B14 *S*	Jules-Joffrin pl.	18
40	L8	Joseph-Liouville r.	15	7	C14 *N*	Jules-Jouy r.	18
36	G23-H23	Joseph-Python r.	20	18	E12 *N*	Jules-Lefebvre r.	9
18	F11 *N*	Joseph-Sansbœuf r.	8	48	L23 *S*	Jules-Lemaître r.	12
35	J22 *S*	Josseaume pass.	20	47	N21	Jules-Pichard r.	12
33	K18 *N*	Josset pass.	11	16	D7	Jules-Renard pl.	17
18	F12 *N*	Joubert r.	9	22	F19	Jules-Romains r.	19
35	J21 *S*	Joudrier imp.	11	27-26	H5-H4	Jules-Sandeau bd	16
19	F14	Jouffroy pass.	9	35-36	G22-G23	Jules-Siegfried r.	20
5-16	C10-D8	Jouffroy r.	17	40	M7 *N*	Jules-Simon r.	15
31	H14 *N*	Jour r. du	1	34	K20-J20	Jules-Vallès r.	11
22	F20 *N*	Jourdain r. du	20	21	F18 *S*	Jules-Verne r.	11
55-54	S14-R12	Jourdan bd	14	53	P9-R9	Julia-Bartet r.	14
38	M4-L3	Jouvenet r.	16	22	F20 *S*	Julien-Lacroix pass.	20
38	L4 *S*	Jouvenet sq.	16	22	G20-F19	Julien-Lacroix r.	20
32	J16	de Jouy r.	4	43-44	N15-N14	de Julienne r.	13
22	F19	Jouye-Rouve r.	20	21	F18-E17	Juliette-Dodu r.	10
6	B11 *N*	Joyeux cité	17	5	C9	Juliette-Lamber r.	17
28-40	K7	Juge r.	15	7	C13	Junot av.	18
40	K7 *S*	Juge villa	15	44	M16 *S*	Jura r. du	13
32	J15-H15	Juges-Consuls r. des	4	31	G14 *S*	Jussienne r. de la	2
22-34	G20	Juillet r.	20	44	L16-L15	Jussieu pl.	5
4	C8 *S*	Jules-Bourdais r.	17	44	L16-L15	Jussieu r.	5
44	M16 *S*	Jules-Breton r.	13	7	C13	Juste-Métivier r.	18
45	K17-K18	Jules-César r.	12	23-24	G22-G23	Justice r. de la	20

k

21	D17	Kabylie r. de	19	56	R16 *S*	Keufer r.	13
33	J18	Keller r.	11	16-28	F7-H7	Kléber av.	16
56-55	S16-S14	Kellermann bd	13	16	G7	Kléber imp.	16
56	R16 *S*	Kellermann	13	19	E14 *S*	Kossuth pl.	9
		villa		8	B15	Kracher pass.	18
16	F8-G8	Keppler r.	16	56	R15	Küss r.	13

Echelle
1 cm sur l'atlas représente 100 m sur le terrain.

Scale
1 cm on the map represents 100 m on the ground
(1 in. : 278 yards approx.).

Maβstab
1 cm auf dem Atlas entspricht 100 m.

Escala
1 cm sobre el atlas representa 100 m sobre el terreno.

3-7	C15-C14	Labat r.	18
7	F10 N	La Baume r. de	8
6	E7	Labie r.	17
8-17	F11-F9	La Boétie r.	8
8	B18 S	Labois-Rouillon r.	19
8-17	E11-F10	de Laborde r.	8
28-29	H8-J9	de La Bourdonnais av.	7
28	H8-H7	de La Bourdonnais port	7
53	P9	Labrador imp. du	15
41-53	N9	Labrouste r.	15
9-18	E13-E12	La Bruyère r.	9
9	E13	La Bruyère sq.	9
84	G20	Labyrinthe cité du	20
6	B12 S	Lacaille r.	17
64	R12 N	Lacaze r.	14
44	L15 S	Lacépède r.	5
46	N20 N	Lachambeaudie pl.	12
33-34	H18-H19	Lacharrière r.	11
57	S17 N	Lachelier r.	13
4-18	C11-D11	La Condamine r.	17
49	L6-M6	Lacordaire r.	15
40	N7	Lacretelle r.	15
6	C11	Lacroix r.	17
45	K17-K18	Lacuée r.	12
9-21	F13-D17	La Fayette r.	
		nos 1-91, 2-92	9
		nos 93-fin, 94-fin	10
9	E13	Laferrière r.	9
1	G14 S	La Feuillade r. nos impairs	1
		nos pairs	2
9	F13-E13	Laffitte r.	9
7	K5 N	La Fontaine hameau	16
8	L3 S	La Fontaine rd-pt	16
7-38	K5-K4	La Fontaine r.	16
6-27	K4-K5	La Fontaine sq.	16
2	D20 S	Laforgue villa	19
8	M3 N	La Frillière av. de	16
4	M15 N	Lagarde r.	5
4	M15 N	Lagarde sq.	5
	C16-C15	Laghouat r. de	18
	B12	Lagille r.	18
8	K23	Lagny pass. de	20
7-48	K22-K24	Lagny r. de	20
2	K15	Lagrange r.	5
7	P17 N	Lahire r.	13
	B10	de La Jonquière imp.	17
-5	B12-B10	de La Jonquière r.	17
0	L7-L8	Lakanal r.	15
2	N12	Lalande r.	14
9	D14 S	Lallier r.	9
1	D18 S	Lally-Tollendal r.	19
5	F6	Lalo r.	16
	D11-C11	Lamandé r.	17
-6	D14-C12	Lamarck r.	18
	C13 N	Lamarck sq.	18
9	E14 S	Lamartine r.	9
7	G5 S	Lamartine sq.	16
7	J6 S	de Lamballe av.	16
	C14	Lambert r.	18
7	M21	Lamblardie r.	12
7	F9 N	Lamennais r.	8
9	G13-F13	de La Michodière r.	2
4	J20 N	Lamier imp.	11
8	L23	Lamoricière av.	12
29-28	J10-K8	de La Motte-Picquet av.	
		nos 1-43, 2-46	7
		nos 45-fin, 48-fin	15
28	K8	de La Motte-Picquet sq.	15
46-47	M20-M21	Lancette r. de la	12
38	M4 N	Lancret r.	16
20-21	G16-F17	Lancry r. de	10
29	H9 S	Landrieu pass.	7
40	N7 N	Langeac r. de	15
43	K14 S	de Lanneau r.	5
15-26	F5-H4	Lannes bd	16
6	B11-B12	Lantiez r.	17
6	B11	Lantiez villa	17
23	E21 N	Laonnais sq. du	19
28-40	K8	Laos r. du	15
16	G7-F8	La Pérouse r.	16
7	C14-B14	Lapeyrère r.	18
44-43	L15-L14	Laplace r.	5
30	K12 N	de La Planche r.	7
33	J18-K18	de Lappe r.	11
41	M9	La Quintinie r.	15
32	H15 S	de La Reynie r. nos 1-19, 2-22	4
		nos 21-fin, 24-fin	1
27	J5 N	Largillière r.	16
19	E13	de La Rochefoucauld r.	9
30	J11-K11	de La Rochefoucauld sq.	7
42	M11	Larochelle r.	14
43	L14	Laromiguière r.	5
44	M15-L15	Larrey r.	5
18	E11 N	Larribe r.	8
30	J11-H11	Las-Cases r.	7
30-31	G12-G13	de La Sourdière r.	1
47	L22 S	Lasson r.	12
22	F20-E20	Lassus r.	19
15	F6	de Lasteyrie r.	16
6-18	D12	Lathuille pass.	18
19	E14 N	de La Tour-d'Auvergne imp.	9
19	E14	de La Tour-d'Auvergne r.	9
29	H10-J9	de La-Tour-Maubourg bd	7
29	J9 N	de La-Tour-Maubourg sq.	7
43	K14 S	Latran r. de	5
28-29	G8-G9	de La Trémoille r.	8
16	E8-D7	Laugier r.	17
16	D8 S	Laugier villa	17
22	D19	de Laumière av.	19
23	G21	Laurence-Savart r.	20
39	L5 N	Laure-Surville r.	15
15	F6	Laurent-Pichat r.	16
16-27	F7-G6	Lauriston r.	16
22	F19-E19	Lauzin r.	19
34	J20-J19	de La Vacquerie r.	11
31	J14-H14	Lavandières-Ste-Opportune r.	1
19	D13-D14	de La Vieuville r.	18
18	F11	Lavoisier r.	8
31	G14 S	La Vrillière r.	1
7	C13	Léandre villa	18
39	M5-N6	Leblanc r.	15
16	E7-D7	Lebon r.	17
42	M11 S	Lebouis imp.	14
42	M11-N11	Lebouis r.	14
17	D10	Lebouteux r.	17
54	R12	Le Brix-et-Mesmin r.	14
44	M16-N15	Le Brun r.	13

23-35	G22	**Le Bua r.**	20
6	D12 N	**Lechapelais r.**	17
4	D8 N	**Le Châtelier r.**	17
33	H18 N	**Léchevin r.**	11
35	H22 S	**Leclaire cité**	20
43	N13	**Leclerc r.**	14
18	D12	**Lécluse r.**	17
6	C11	**Lecomte r.**	17
37	L2 S	**Lecomte-du-Noüy r.**	16
38	K4 S	**Lecomte-de-Lisle r.**	16
38	K4 S	**Lecomte-de-Lisle villa**	16
41-39	L10-N6	**Lecourbe r.**	15
40	M7	**Lecourbe villa**	15
54	P11 N	**Lecuirot r.**	14
7	C14	**Lecuyer r.**	18
55-56	P14-P15	**Le Dantec r.**	13
53	P10 S	**Ledion r.**	14
45-34	L17-J19	**Ledru-Rollin av.**	
		nos 1-87, 2-88	12
		nos 89-fin, 90-fin	11
52-53	N7-P9	**Lefebvre bd**	15
52	N7 S	**Lefebvre r.**	15
6	C12 N	**Legendre pass.**	17
17-6	D10-B12	**Legendre r.**	17
5	D10-D9	**Léger imp.**	17
54	R12-R11	**Légion-Etrangère r. de la**	14
43	L14 N	**Le Goff r.**	5
21-20	F17-F16	**Legouvé r.**	10
21	E18 S	**Legrand r.**	19
45	L18 N	**Legraverend r.**	12
7-6	B13-B12	**Leibnitz r.**	18
6-7	B12 N	**Leibnitz sq.**	18
27	J5	**Lekain r.**	16
55	R14 N	**Lemaignan r.**	14
23	E22	**Léman r. du**	19
38	M3 S	**Le Marois r.**	16
6	C11 S	**Lemercier cité**	17
6	D11-C11	**Lemercier r.**	17
20	G15 N	**Lemoine pass.**	2
22	F19 S	**Lemon r.**	20
54	P12 S	**Leneveux r.**	14
18	E11-D12	**Léningrad r. de**	8
28	H7 S	**Le Nôtre r.**	16
20	E15 N	**Lentonnet r.**	9
28	G7	**Léo-Delibes r.**	16
8	D15 N	**Léon pass.**	18
8	C15	**Léon r.**	18
15	F6	**Léonard-de-Vinci r.**	16
34	J19 N	**Léon-Blum pl.**	11
57-56	S17-S16	**Léon-Bollée av.**	13
26	K4	**Léon-Bonnat r.**	16
28	G8 S	**Léonce-Reynaud r.**	16
19	G14 N	**Léon-Cladel r.**	2
17	D9 S	**Léon-Cogniet r.**	17
17	D10	**Léon-Cosnard r.**	17
39	N6	**Léon-Delagrange r.**	15
40	M8 S	**Léon-Delhomme r.**	15
38	M3 S	**Léon-Deubel pl.**	16
52	P8	**Léon-Dierx r.**	15
18	D11 S	**Léon-Droux r.**	17
53	P10 N	**Léone villa**	14
24	F23	**Léon-Frapié r.**	20
34	J20-J19	**Léon-Frot r.**	11
36-48	J24-K24	**Léon-Gaumont av.**	20
10	C19 S	**Léon-Giraud r.**	19
40	N8	**Léon-Guillot sq.**	15
38	K4-L4	**Léon-Heuzey av.**	16
54	P11-N11	**Léonidas r.**	14
17	E9 N	**Léon-Jost r.**	17
21	G17 N	**Léon-Jouhaux r.**	10
40	L8	**Léon-Lhermitte r.**	1
43	N14	**Léon-Maurice-Nordmann r.**	1
41	L10 N	**Léon-Paul-Fargue pl.**	6-
40	M8 N	**Léon-Séché r.**	1
39	L5	**Léontine r.**	1
41	K9 S	**Léon-Vaudoyer r.**	1
31	G14	**Léopold-Bellan r.**	
26-27	K5-K4	**Léopold-II av.**	1
42	M12 N	**Léopold-Robert r.**	1
21	E18 N	**Lepage cité**	1
19	F13	**Le Peletier r.**	
19	D13	**Lepic pass.**	1
7	D13-C13	**Lepic r.**	1
57	P18	**Leredde r.**	1
32	K15-K16	**Le Regrattier r.**	
40	N7-N8	**Leriche r.**	1
16-15	F7-F6	**Leroux r.**	1
23	F21 S	**Leroy cité**	2
26	J4 S	**Leroy-Beaulieu sq.**	1
47	L22 S	**Leroy-Dupré r.**	1
22	F19	**Lesage cour**	2
22	F19	**Lesage r.**	2
33	K17 N	**de Lesdiguières r.**	
34	J20 N	**Lespagnol r.**	2
35	J22-H21	**de Lesseps r.**	2
16	F7 N	**Le Sueur r.**	1
27	H6	**Le Tasse r.**	1
40	K8-L8	**Letellier r.**	1
40	K8 S	**Letellier villa**	1
7	B14	**Letort imp.**	1
7	B14	**Letort r.**	1
35	H22 N	**Leuck-Mathieu r.**	2
36-24	G23-F23	**Le Vau r.**	2
43	M13 N	**Le Verrier r.**	
22	F20	**Levert r.**	2
17	D10 S	**Lévis imp. de**	1
17	D10	**Lévis pl. de**	1
17	D10	**Lévis r. de**	1
33	K18 N	**Lhomme pass.**	1
43-44	L14-M15	**Lhomond r.**	
40	N8	**Lhuillier r.**	1
42	N12-N11	**Liancourt r.**	1
34	J20 S	**Liandier cité**	1
55	R14 S	**Liard r.**	1
22	G20 N	**Liban r. du**	2
23	E21 S	**Liberté r. de la**	1
18	E12-E11	**Liège r. de** nos 1-19, 2-18	
		nos 21-fin, 20-fin	
48	M23 N	**Lieutenance sentier de la**	1
23-35	G22	**Lieutenant-Chauré r. du**	2
7	A14-A13	**Lieutenant-Colonel-Dax r.**	1
37	M2	**Lieutenant-Colonel-Deport r. du**	1
53	P10 S	**Lieutenant-Lapeyre r. du**	
53-54	N10-11	**Lieutenant-Stéphane-Piobetta pl. du**	
53	N9-P9	**Lieuvin r. du**	1
35	J21 N	**Ligner r.**	2
23-24	E22-E23	**Lilas porte des**	2
23	E21	**Lilas r. des**	1
23	E21 N	**Lilas villa des**	1
18	D12 S	**Lili-Boulanger pl.**	1
31-30	J13-H11	**Lille r. de**	
57	R18	**Limagne sq. de la**	1
57	R18	**Limousin sq. du**	1
17	F9 S	**Lincoln r.**	
31	H14	**Lingerie r. de la**	1
44	L16-L15	**Linné r.**	
39	K6-L6	**Linois r.**	1
33-32	K17-K16	**Lions-Saint-Paul r. des**	

48	K23 *S*	Lippmann r.	20	32	J15	Louis-Lépine pl.	4
33-34	J18-J19	Lisa pass.	11	6	A12 *S*	Louis-Loucheur r.	17
18-17	E11-E9	Lisbonne r. de	8	36	J23-H23	Louis-Lumière r.	20
55	R14	Liserons r. des	13	43	L13	Louis-Marin pl.	5
85	H22	Lisfranc r.	20	54	P11	Louis-Morard r.	14
42	L11	Littré r.	6	17	E9 *S*	Louis-Murat r.	8
19	D14	Livingston r.	18	7-6	A13-A12	Louis-Pasteur-Vallery-Radot r.	18
32	J15	Lobau r. de	4				
31	K13 *N*	Lobineau r.	6	55-56	S14-S15	Louis-Pergaud r.	13
17	D9 *S*	Logelbach r. de	17	33	J18 *S*	Louis-Philippe pass.	11
85	J22 *S*	Loi imp. de la	20	32	J15 *S*	Louis-Philippe pont	4
54	P12 *S*	Loing r. du	14	22	F20	Louis-Robert imp.	20
9-10	D18-C19	Loire quai de la	19	43	L14 *S*	Louis-Thuillier r.	5
58	P19 *S*	Loiret r. du	13	33	J17	Louis-XIII sq.	4
8	C16 *N*	L'Olive r.	18	52	P8-P7	Louis-Vicat r.	15
32	H15 *S*	Lombards r. des		40-39	K7-M6	de Lourmel r.	15
		nos 1-25, 2-28	4	42	N12	Louvat villa	14
		nos 27-fin, 30-fin	1	19	G13 *N*	Louvois r. de	2
8	E12 *S*	Londres cité de	9	31	H14 *S*	Louvre pl. du	1
8	E12-E11	Londres r. de		31-30	H13-H12	Louvre port du	1
		nos 1-37, 2-38	9	31	J14-H13	Louvre quai du	1
		nos 39-fin, 40-fin	8	31	H14-G14	Louvre r. du	
28-15	G7-G5	Longchamp r. de	16			nos 1-25, 2-52	1
28	G7 *S*	Longchamp villa de	16			nos 27-fin, 54-fin	2
85	R14 *S*	Longues-Raies r. des	13	29-41	J10-K9	de Lowendal av.	
6	F8	Lord-Byron r.	8			nos 1-23, 2-14	7
0	D19 *N*	Lorraine r. de	19			nos 25-fin, 16-fin	15
23	E21 *N*	Lorraine villa de	19	41	K9 *S*	Lowendal sq.	15
0	A19	Lot quai du	19	28	G8-H7	Lübeck r. de	16
27	G5	Lota r. de	16	38-39	M4-M5	Lucien-Bossoutrot r.	15
45	L18	Louis-Armand cour	12	55-54	S13-S12	Lucien-Descaves av.	14
49-51	N6-N5	Louis-Armand r.	15	47	K22 *S*	Lucien-et-Sacha-Guitry r.	20
26	G4-H4	Louis-Barthou av.	16	7	C13	Lucien-Gaulard r.	18
21-20	E17-D16	Louis-Blanc r.	10	44	M15 *N*	Lucien-Herr pl.	5
49-38	K5-M4	Louis-Blériot quai	16	36	J23 *N*	Lucien-Lambeau r.	20
26	H4 *S*	Louis-Boilly r.	16	35	H22	Lucien-Leuwen r.	20
21	F18 *S*	Louis-Bonnet r.	11	20	F16	Lucien-Sampaix r.	10
57	M22	Louis-Braille r.	12	19	G13	Lulli r.	2
29	J9	Louis-Codet r.	7	54	P12 *S*	Lunain r. du	14
27	H6	Louis-David r.	16	20	G15 *N*	Lune r. de la	2
48	K23 *S*	Louis-Delaporte r.	20	10	C20-D20	Lunéville r. de	19
4	P12 *S*	Louise-et-Tony sq.	14	31	J14	Lutèce r. de	4
22	F19-E19	Louise-Labé allée	19	30	J12	de Luynes r.	7
23	E21	Louise-Thuliez r.	19	30	J12	de Luynes sq.	7
86	H23 *N*	Louis-Ganne r.	20	35	H22 *N*	Lyanes r. des	20
57	N22	Louis-Gentil sq.	12	35	H22 *N*	Lyanes villa des	20
8	C17 *N*	Louisiane r. de la	18	27	J6	Lyautey r.	16
8-19	G12-F13	Louis-le-Grand r.	2	45-33	L18-K17	Lyon r. de	12
				43	M14	Lyonnais r. des	5

Au-delà des limites du plan de Paris
utilisez la carte Michelin n° **101** " **Banlieue de Paris** "

Beyond the area covered by the plan of Paris
use the Michelin map no **101** " **Outskirts of Paris** "

Benutzen Sie für den Großraum Paris
die Michelin-Karte Nr **101** " **Paris und Vororte** "

Más allá de los límites del plano de Paris
utilice el mapa Michelin n° **101** " **Aglomeración de París** "

31	K13 *N*	**Mabillon r.**	6
11-9	B21-A18	**Macdonald bd**	19
16	E8-E7	**Lac-Mahon av.**	17
47	N21	**Madagascar r. de**	12
30-42	K12-L12	**Madame r.**	6
18	G12 *N*	**Madeleine bd de la**	
		nᵒˢ 1-23	1
		nᵒˢ 25-fin, 14-fin	8
		nᵒˢ 2-12	9
18	G11 *N*	**Madeleine galerie de la**	8
18	F11 *S*	**Madeleine pass. de la**	8
18	F12-G11	**Madeleine pl. de la**	8
40	L7-L8	**Mademoiselle r.**	15
8	B16 *S*	**Madone r. de la**	18
18	E11	**Madrid r. de**	8
28	H7-G7	**Magdebourg r. de**	16
16	G8-F8	**Magellan r.**	8
43	N14	**Magendie r.**	13
21-20	G17-D15	**Magenta bd de**	
		nᵒˢ 1-153, 2-fin	10
		nᵒˢ 155-fin	9
20	F16 *S*	**Magenta cité de**	10
10-11	A20-A21	**Magenta r.** nᵒˢ 2-8	19
		autres nᵒˢ	Pantin
35	K22	**Maigrot-Delaunay pass.**	20
31	G14	**Mail r. du**	2
34	J20 *N*	**Maillard r.**	11
15	E6	**Maillot porte**	8-16
34	K19	**Main-d'Or pass. de la**	11
34	K19	**Main-d'Or r. de la**	11
42-54	L11-P12	**Maine av. du**	
		nᵒˢ 1-39, 2-58	15
		nᵒˢ 41-fin, 60-fin	14
42	M11 *N*	**Maine r. du**	14
42	L11	**Maintenon allée**	6
32	G16 *S*	**Maire r. au**	3
19	D14	**Mairie cité de la**	18
56	P16 *S*	**Maison-Blanche r. de la**	13
33	K18 *N*	**Maison-Brûlée cour de la**	11
42	N11 *N*	**Maison-Dieu r.**	14
32	K15	**Maître-Albert r.**	5
15	F6-E6	**Malakoff av. de**	16
15	E6 *S*	**Malakoff imp. de**	16
27-28	G6-G7	**Malakoff villa**	16
31	J13 *N*	**Malaquais quai**	6
29	H9	**Malar r.**	7
40	N7	**Malassis r.**	15
43	L14 *N*	**Malebranche r.**	5
18-5	F11-C9	**Malesherbes bd**	
		nᵒˢ 1-121, 2-92	8
		nᵒˢ 123-fin, 94-fin	17
19	E14-E13	**Malesherbes cité**	9
17	D9-D10	**Malesherbes villa**	17
17	E10	**Maleville r.**	8
32	J16	**Malher r.**	4
38	K3 *S*	**Malherbe sq.**	16
53	P10	**Mallebay villa**	14
26	J4 *S*	**Mallet-Stevens r.**	16
57-56	R17-R16	**Malmaisons r. des**	13
33	H17-G17	**Malte r. de**	11
35	H21-G21	**Malte-Brun r.**	20
44	L15 *S*	**Malus r.**	5
31	G14 *S*	**Mandar r.**	2
22-23	E19-D21	**Manin r.**	19
23	D21	**Manin villa**	19
19	D13-D12	**Mansart r.**	9
19	E14	**Manuel r.**	9
28	H8-G8	**Manutention r. de la**	16
24	E23	**Maquis-du-Vercors pl.**	19-20
48-35	K23-J22	**Maraîchers r. des**	20
20	F16	**Marais pass. des**	10
15	F6-F5	**Marbeau bd**	16
15	F6 *N*	**Marbeau r.**	16
16-17	G8-G9	**Marbeuf r.**	8
8-6	C15-B12	**Marcadet r.**	18
28-16	G8-F8	**Marceau av.** nᵒˢ impairs	16
		nᵒˢ pairs	8
22	E20 *N*	**Marceau villa**	19
38	M3-N3	**Marcel-Doret av.**	16
47	N22	**Marcel-Dubois r.**	12
33	H17	**Marcel-Gromaire r.**	11
43	K14	**Marcelin-Berthelot pl.**	5
18	E11 *S*	**Marcel-Pagnol sq.**	8
27	J6	**Marcel-Proust av.**	16
16	E7 *N*	**Marcel-Renault r.**	17
7	A13 *S*	**Marcel-Sembat r.**	18
40	N8 *N*	**Marcel-Toussaint sq.**	15
33	H18-J18	**Marcès imp.**	11
23	D21	**Marchais r. des**	19
20	F16 *S*	**Marché pass. du**	10
44	M16	**Marché-aux-Chevaux imp.**	5
32	J16 *N*	**Marché-des-Blancs-Manteaux r. du**	4
44	M15 *N*	**Marché-des-Patriarches r.**	5
31	J14 *S*	**Marché-Neuf quai du**	4
7	B13	**Marché-Ordener r. du**	18
33	H18 *N*	**Marché-Popincourt r. du**	11
33-32	J17-J16	**Marché-Ste-Catherine pl. du**	4
30-31	G12-G13	**Marché-St-Honoré pl. du**	1
30-13	G12	**Marché-St-Honoré r. du**	1
53	P9-R10	**Marc-Sangnier av.**	14
9-8	C17-C16	**Marc-Séguin r.**	18
22	G20 *N*	**Mare imp. de la**	20
22	G20-F20	**Mare r. de la**	20
15	F5	**Maréchal-de-Lattre-de-Tassigny pl. du**	16
15-26	F5-G4	**Maréchal-Fayolle av. du**	16
26	J3	**Mar.-Franchet-d'Esperey av. du**	16
29	H10-J10	**Maréchal-Gallieni av. du**	7
28	J8 *N*	**Maréchal-Harispe r. du**	7
16	D8	**Maréchal-Juin pl. du**	17
26-38	K3	**Maréchal-Lyautey av. du**	16
26	H4-J3	**Maréchal-Maunoury av. du**	16
31	H13	**Marengo r. de**	1
54	P12 *S*	**Marguerin r.**	14
16	E8 *N*	**Margueritte r.**	17
48	L23 *S*	**Marguettes r. des**	12
6	B12	**Maria-Deraismes r.**	17
6	B11	**Marie cité**	18
32	K16 *N*	**Marie pont**	4
47	L21 *N*	**Marie-Benoist r.**	12
7	D13 *N*	**Marie-Blanche imp.**	18
54	P12 *S*	**Marié-Davy r.**	14
21	F17 *S*	**Marie-et-Louise r.**	10
35-47	K22	**Marie-Laurent allée**	
54	P12 *S*	**Marie-Rose r.**	14
32	G15 *S*	**Marie-Stuart r.**	2
27	J5	**Marietta-Martin r.**	16

17	G9 *N*	Marignan pass.	8	31	H14	Maurice-Quentin pl.	1
17	G9	Marignan r. de	8	48	M23-L23	Maurice-Ravel av.	12
17	G10-F10	Marigny av. de	8	42	N11	Maurice-Ripoche r.	14
53	P10 *S*	Mariniers r. des	14	22	D20 *S*	Maurice-Rollinat villa	19
28	J8	Marinoni r.	7	53	P10-N9	Maurice-Rouvier r.	14
41	K9 *S*	Mario-Nikis r.	15	7	D14 *N*	Maurice-Utrillo r.	18
18	D11	Mariotte r.	17	32	J16	Mauvais-Garçons r. des	4
19	F13 *S*	de Marivaux r.	2	23	E22	Mauxins pass. des	19
40	M8 *S*	Marmontel r.	15	42-41	M11-10	Max-Hymans sq.	15
44	N15 *N*	Marmousets r. des	13	56	S16-R15	Max-Jacob r.	13
10	C19-C20	Marne quai de la	19	4	C8	Mayenne sq. de la	17
10	C19	Marne r. de la	19	42	L11 *N*	Mayet r.	6
9	C17 *S*	Maroc imp. du	19	19	E14 *S*	Mayran r.	9
9	D17 *N*	Maroc pl. du	19	55	S14 *S*	Mazagran av. de	14
9	D18-C17	Maroc r. du	19	20	F15 *S*	Mazagran r. de	10
22	G19-G20	Maronites r. des	20	31	J13	Mazarine r.	6
27	J5 *S*	Marronniers r. des	16	45	L17	Mazas pl.	12
11	C21-D21	Marseillaise r. de la	19	31	J13 *S*	Mazet r.	6
21	F17 *S*	Marseille r. de	10	21-22	É18-D19	Meaux r. de	19
19	G13	Marsollier r.	2	43	N14-N13	Méchain r.	14
47	L22	Marsoulan r.	12	17	E9-D9	Médéric r.	17
20	F15 *N*	Martel r.	10	43	K13 *S*	Médicis r. de	6
30	J11	Martignac cité	7	31	J14 *N*	Mégisserie quai de la	1
30	H11-J11	de Martignac r.	7	19-31	G13	Méhul r.	2
56	P15 *S*	Martin-Bernard r.	13	40	L8	Meilhac r.	15
45	H22-G22	Martin-Garat r.	20	17	D9	Meissonier r.	17
20	F16 *S*	Martini imp.	10	22	F20-E20	Melingue r.	19
8	C16 *N*	Martinique r. de la	18	21	D18	Melun pass. de	19
45	G21 *S*	Martin-Nadaud pl.	20	19	G13 *N*	Ménars r.	2
8	B12 *N*	Marty imp.	17	36	J23	Mendelssohn r.	20
9	E13-D13	Martyrs r. des		32	H15	Ménétriers pass. des	3
		nos 1-67, 2-fin	9	34	H20-G19	Ménilmontant bd de	
		nos 69-fin	18			nos impairs 11e - nos pairs	20
8	D16-C16	Marx-Dormoy r.	18	34	G19 *S*	Ménilmontant pass.	11
47	R18 *S*	Maryse-Bastié r.	13	22	G20 *N*	Ménilmontant pl. de	20
46-48	K23	Maryse-Hilsz r.	20	24	F23	Ménilmontant porte de	20
27-26	H5-H4	Maspéro r.	16	22-23	G19-F21	Ménilmontant r. de	20
48-56	P20-S16	Masséna bd	13	34	J19-J20	Mercœur r.	11
47	R18	Masséna sq.	13	15	G6-G5	Mérimée r.	16
37	J6-H5	Massenet r.	16	48	L23 *S*	Merisiers sentier des	12
41	K10 *S*	Masseran r.	7	34	H20-H19	Merlin r.	11
57-59	N22	Massif-Central sq. du	12	37	L2	Meryon r.	16
42	J15 *S*	Massillon r.	4	20	G16	Meslay pass.	3
8	B15	Massonnet imp.	18	21-20	G17-G16	Meslay r.	3
8	C18 *N*	Mathis r.	19	15	G6	Mesnil r.	16
21	E18	Mathurin-Moreau av.	19	20	E15 *S*	Messageries r. des	10
19	M9	Mathurin-Régnier r.	15	47	M22	Messidor r.	12
18	F12-F11	Mathurins r. des		43	N13	Messier r.	14
		nos 1-21, 2-28	9	17	E10 *S*	Messine av. de	8
		nos 23-fin, 30-fin	8	17	E10 *S*	Messine r. de	8
17	G10-F10	Matignon av.	8	10	C20	Metz quai de	19
42	K15	Maubert imp.	5	20	F15 *S*	Metz r. de	10
42-44	K15	Maubert pl.	5	47	N21	Meuniers r. des	12
19-20	E14-D16	Maubeuge r. de nos 1-65, 2-84	9	10	C19	Meurthe r. de la	19
		nos 67-fin, 86-fin	10	27	G6 *S*	Mexico pl. de	16
19	E14	Maubeuge sq. de	9	19	F13	Meyerbeer r.	9
10	M8	Maublanc r.	15	22	D19	Meynadier r.	19
32-31	H15-H14	Mauconseil r.	1	31-30	K13-K12	Mézières r. de	6
32	H15	Maure pass. du	3	56	P15 *S*	Michal r.	13
45	L17 *S*	Maurel pass.	5	38	M3	Michel-Ange hameau	16
30	G12	Maurice-Barrès pl.	1	38	L3-M3	Michel-Ange r.	16
44	G23	Maurice-Berteaux r.	20	38	K4 *S*	Michel-Ange villa	16
53	P9-P10	Maurice-Bouchor r.	14	57	R18	Michel-Bréal r.	13
37	K5	Maurice-Bourdet r.	16	45	L18 *N*	Michel-Chasles r.	12
42	G20	Maurice-Chevalier pl.	20	35	J22 *S*	Michel-de-Bourges r.	20
56	L20	Maurice-de-Fontenay pl.	12	43	L13 *S*	Michelet r.	6
34	L10 *N*	Maurice-de-la-Sizeranne r.	7	32	H16-H15	Michel-le-Comte r.	3
53	R10 *N*	Maurice-d'Ocagne av.	14	44	M15 *S*	Michel-Peter r.	13
55	P13 *S*	Maurice-Loewy r.	14	19	D13	Midi cité du	18
53	P9 *S*	Maurice-Noguès r.	14	27	H5 *N*	Mignard r.	16

38	K4 S	**Mignet r.**	16
31	K14 N	**Mignon r.**	6
27	H6	**Mignot sq.**	5
22	E20 N	**Mignottes r. des**	19
22	D20 S	**Miguel-Hidalgo r.**	19
18	E12	**Milan r. de**	9
26-27	J4-J5	**Milleret-de-Brou av.**	6
16	D7 S	**Milne-Edwards r.**	17
6	B12 N	**Milord imp.**	18
19	E14	**Milton r.**	9
55	R14	**Mimosas sq. des**	13
33	J17 N	**Minimes r. des**	3
41	L9 N	**Miollis r.**	15
39	L5	**Mirabeau pont**	16-15
39-38	L5-L4	**Mirabeau r.**	16
44	M15 N	**de Mirbel r.**	5
7	D13-C13	**Mire r. de la**	18
17	F10-E10	**de Miromesnil r.**	8
26-38	K4	**Mission-Marchand r. de la**	16
41	M10 N	**Mizon r.**	15
22	D19	**Moderne av.**	19
54	P11 N	**Moderne villa**	14
39	M5	**Modigliani r.**	15
42	M11	**Modigliani terrasse**	15
18	F12-E12	**Mogador r. de**	9
6	C11-B11	**Moines r. des**	17
38	L3 S	**Molière av.**	16
32	H15	**Molière pass.**	3
31	G13 S	**Molière r.**	1
9	C17	**Molin imp.**	18
37	L2	**Molitor porte**	16
38	L4-L3	**Molitor r.**	16
38	L4	**Molitor villa**	16
17	E10	**Mollien r.**	8
5	C9 S	**Monbel r. de**	17
17	F9-E10	**Monceau r. de**	8
18	D11 S	**Monceau sq.**	17
16	D8	**Monceau villa**	17
6	C12	**Moncey pass.**	17
18	E12 N	**Moncey r.**	9
18	E12 N	**Moncey sq.**	9
32	H15 N	**Mondétour r.**	1
30	G11	**Mondovi r. de**	1
44	L15 S	**Monge pl.**	5
44	K15-M15	**Monge r.**	5
48	L24-L23	**Mongenot r.** nᵒˢ 29-fin, 12-fin	12
		autres nᵒˢ	St-Mandé
21	E18 S	**Monjol r.**	19
31	H14 S	**Monnaie r. de la**	1
34	G20 S	**Monplaisir imp.**	20
17	D9	**Monseigneur-Loutil pl.**	17
29	K10	**Monsieur r.**	7
31-43	K13-K14	**Monsieur-le-Prince r.**	6
19	G13 N	**Monsigny r.**	2
35	J21	**Monsoreau sq. de**	20
44	K15-L15	**Montagne-Ste-Geneviève r.**	5
17-29	G9	**Montaigne av.**	8
30	J12	**Montalembert r.**	7
18	F11 S	**Montalivet r.**	8
40	N8	**Montauban r.**	15
39	K5 S	**Mont-Blanc sq. du**	16
54	P12	**Montbrun pass.**	14
54	P12	**Montbrun r.**	14
7	C13-B14	**Montcalm r.**	18
7	B13 S	**Montcalm villa**	18
7	B14 N	**Mont-Cenis pass. du**	18
7	C14-B14	**Mont-Cenis r. du**	18
18	D11	**Mont-Dore r. du**	17
32	K15	**Montebello port de**	5
32	K15	**Montebello quai de**	5
53	P9 N	**Montebello r. de**	15
35	J21	**Monte-Cristo r.**	20
48	M23	**Montempoivre porte de**	12
47-48	M22-M23	**Montempoivre r. de**	12
47	M22	**Montempoivre sentier de**	12
23	E22 S	**Montenegro pass. du**	19
16	E8	**Montenotte r. de**	17
48	L23	**Montéra r.**	12
27	G5 S	**de Montespan av.**	16
31	H13 N	**Montesquieu r.**	1
48	N23	**Montesquiou-Fezensac r.**	12
15-27	G5	**Montevideo r. de**	16
31	K13 N	**de Montfaucon r.**	6
46	L20	**Montgallet pass.**	12
46	L20 S	**Montgallet r.**	12
32	G16	**Montgolfier r.**	3
18	E12 N	**Monthiers cité**	9
20-19	E15-E14	**de Montholon r.**	9
35	G22	**Montibœufs r. des**	20
54	R12 S	**Monticelli r.**	14
34	J20 N	**Mont-Louis imp. de**	11
34	J20 N	**Mont-Louis r. de**	11
19	F14	**Montmartre bd** nᵒˢ impairs	2
		nᵒˢ pairs	2
31	G14 S	**Montmartre cité**	2
19	F14 S	**Montmartre galerie**	2
7	A13-B13	**Montmartre porte de**	18
31-19	H14-F14	**Montmartre r.**	
		nᵒˢ 1-21, 2-36	1
		nᵒˢ 23-fin, 38-fin	2
38	K4	**de Montmorency av.**	16
26	J3-K3	**de Montmorency bd**	16
32	H16-H15	**de Montmorency r.**	3
26-38	K3	**de Montmorency villa**	16
31	H14-G14	**Montorgueil r.**	
		nᵒˢ 1-35, 2-40	1
		nᵒˢ 37-fin, 42-fin	2
42-43	L11-M13	**Montparnasse bd du**	
		nᵒˢ impairs	6
		nᵒˢ 2-66	15
		nᵒˢ 68-fin	14
42	L12-M12	**Montparnasse r. du**	
		nᵒˢ 1-35, 2-40	6
		nᵒˢ 37-fin, 42-fin	14
31	G13 S	**de Montpensier galerie**	1
31	H13-G13	**de Montpensier r.**	1
36	J23-J24	**Montreuil porte de**	20
34-35	K19-K21	**Montreuil r. de**	11
54	R11	**Montrouge porte de**	14
55	R13	**Montsouris sq. de**	14
28	H8 S	**de Monttessuy r.**	7
30	G12 S	**Mont-Thabor r. du**	1
42	L11	**Mont-Tonnerre imp. du**	15
19	F14	**de Montyon r.**	9
27	G5	**Mony r.**	16
21	G18 N	**Morand r.**	11
45	K18	**Moreau r.**	12
54	R11 N	**Morère r.**	14
22-34	G19	**Moret r.**	11
28	K8 N	**Morieux cité**	15
40-53	N8-N9	**Morillons r. des**	15
33-45	K17	**Morland bd**	4
45	L17 N	**Morland pont**	12-4
35-47	K21	**Morlet imp.**	11
18	E12	**Morlot r.**	9
45	K17	**Mornay r.**	4
42	N11	**de Moro-Giafferi pl.**	14
36-23	G23-E22	**Mortier bd**	20
34	H19 S	**Morvan r. du**	11
18	E12-D11	**Moscou r. de**	8

22	D19	**Moselle pass. de la**	19
9-21	D18 *N*	**Moselle r. de la**	19
7	B13 *N*	**Moskowa cité de la**	18
44	L15-M15	**Mouffetard r.**	5
33	H18 *S*	**Moufle r.**	11
45	L18	**Moulin pass.**	12
56	R16	**Moulin-de-la-Pointe r. du**	13
41-53	N10 *S*	**Moulin-de-la-Vierge r. du**	14
56	P15 *N*	**Moulin-des-Prés pass.**	13
56	P15-R16	**Moulin-des-Prés r. du**	13
56	P15 *S*	**Moulinet pass. du**	13
56	P16-P15	**Moulinet r. du**	13
22	G19-F19	**Moulin-Joly r. du**	11
31	G13	**Moulins r. des**	1
54	P11 *N*	**Moulin-Vert imp. du**	14
54	P12-N11	**Moulin-Vert r. du**	14
47	K22 *S*	**Mounet-Sully r.**	20
36	J23	**Mouraud r.**	20
46	L20	**Mousset imp.**	12
47	L22 *S*	**Mousset-Robert r.**	12
32	J16 *N*	**de Moussy r.**	4
54	N12 *S*	**Mouton-Duvernet r.**	14
23-22	E21-E20	**Mouzaïa r. de**	19
46	L20 *S*	**Moynet cité**	12
27-26	J5-K4	**Mozart av.**	16
26	J4	**Mozart sq.**	16
26	J4 *S*	**Mozart villa**	16
27-26	J5-J4	**Muette chaussée de la**	16
26	H4	**Muette porte de la**	16
19	G14	**Mulhouse r. de**	2
38	M3	**Mulhouse villa**	16
7	C14-D14	**Muller r.**	18
38	L3-M4	**Murat bd**	16
38	M3 *S*	**Murat villa**	16
34	H20-G20	**Mûriers r. des**	20
17	E9	**Murillo r.**	8
38	M4-M3	**de Musset r.**	16
44	K15 *S*	**Mutualité sq. de la**	5
8	C16-D15	**Myrha r.**	18
17	F10	**Myron-Timothy-Herrick av.**	8

n

6	B11	**Naboulet imp.**	17
20	F16	**Nancy r. de**	10
34	H19-G19	**Nanettes r. des**	11
55	R13 *S*	**Nansouty imp.**	14
55	R13	**Nansouty r.**	14
10	C19-B19	**Nantes r. de**	19
41	N9	**Nanteuil r.**	15
18-17	E11-E10	**Naples r. de**	8
39	M5 *N*	**Napoléon-Chaix r.**	15
30	K12 *N*	**Narbonne r. de**	7
38	L4 *N*	**Narcisse-Diaz r.**	16
17	E10 *S*	**Narvik pl. de**	8
47	K21 *S*	**Nation pl. de la**	
		nᵒˢ impairs	11
		nᵒˢ pairs	12
57	R18-R17	**National pass.**	13
58	P20	**National pont**	12-13
57	R17 *N*	**Nationale imp.**	13
57	P17	**Nationale pl.**	13
57	R17-N17	**Nationale r.**	13
28	H7	**Nations-Unies av. des**	16
7	C13	**Nattier pl.**	18
19	E13 *N*	**Navarin r. de**	9
44	L15	**Navarre r. de**	6
6	B12-B11	**Navier r.**	17
33	J17	**Necker r.**	4
29	J9 *N*	**Négrier cité**	7
28	J7-K7	**Nélaton r.**	15
33	G18 *S*	**Nemours r. de**	11
31	J13	**de Nesle r.**	6
31	J14	**Neuf pont**	1-6
15	E6	**Neuilly av. de**	16-17
8	B15	**Neuve-de-la-Chardonnière r.**	18
34	J20 *S*	**Neuve-des-Boulets r.**	11
33	G18-H18	**Neuve-Popincourt r.**	11
33	J17	**Neuve-St-Pierre r.**	4
16	E8	**Néva r. de la**	8
31	J13	**Nevers imp. de**	6
31	J13	**Nevers r. de**	6
16	F8 *S*	**Newton r.**	16
28	H8-J7	**New-York av. de**	16
9-6	A17-B12	**Ney bd**	18
5-17	D9 *N*	**Nicaragua pl. du**	17
34	J20 *S*	**Nice r. de**	11
47	N21-M21	**Nicolaï r.**	12
36	J23 *N*	**Nicolas imp.**	20
41	L10-M10	**Nicolas-Charlet r.**	15
5	C9	**Nicolas-Chuquet r.**	17
32	J15-H15	**Nicolas-Flamel r.**	4
56	P16 *N*	**Nicolas-Fortin r.**	13
45-44	M17-M16	**Nicolas-Houël r.**	5
44	N15 *N*	**Nicolas-Roret r.**	13
54	R11	**Nicolas-Taunay r.**	14
6	C11*S*	**Nicolay sq.**	17
7	C14	**Nicolet r.**	18
27	J6-H5	**Nicolo r.**	16
16	E8-D8	**Niel av.**	17
16	D8 *S*	**Niel villa**	17
42	N11	**Niepce r.**	14
57	R18 *N*	**Nieuport villa**	13
48	L23	**Niger r. du**	12
20-32	G15	**Nil r. du**	2
7	C14	**Nobel r.**	18
28	J7 *S*	**Nocard r.**	15
32	H15-H16	**Noël cité**	3
48	K23 *S*	**Noël-Ballay r.**	20
15	G5 *N*	**Noisiel r. de**	16
24	F23	**Noisy-le-Sec r. de**	20
6	D11-C11	**Nollet r.**	17
6	C11	**Nollet sq.**	17
7	B13	**Nollez cité**	18
33	K18 *N*	**Nom-de-Jésus cour du**	11
32	J16 *S*	**Nonnains-d'Hyères r. des**	4
10-22	D19	**Nord pass. du**	19
8	B15 *S*	**Nord r. du**	18
33	H17 *N*	**Normandie r. de**	3

7	C14-C13	Norvins r.	18
32	J15	Notre-Dame pont	4
20	G15-F15	Notre-Dame-de-Bonne-Nouvelle r.	2
19	E13	N.-D.-de-Lorette r.	9
20-32	G16-G15	N.-D.-de-Nazareth r.	3
20	G15-F15	N.-D.-de-Recouvrance r.	2

42-43	L12-M13	N.-D.-des-Champs r.	6
19-31	G14	N.-D.-des-Victoires r.	2
22	G19	Nouveau-Belleville sq. du	20
16	E8 S	Nouvelle villa	8
48	M23 S	Nouvelle-Calédonie r.	12
11	D21-C21	Noyer-Durand r. du	19
37	L2	Nungesser-et-Coli r.	16

O

33-34	H17-G19	Oberkampf r.	11
43	L13-M13	Observatoire av. de l'	
		nᵒˢ 1-27, 2-20	6
		nᵒˢ 29-47	5
		nᵒˢ 49-fin, 22-fin	14
35	G22	Octave-Chanute pl.	20
27-26	H5-H4	Octave-Feuillet r.	16
28	J7	Octave-Gréard av.	7
31	K13 N	Odéon carr. de l'	6
31-43	K13	Odéon pl. de l'	6
31-43	K13	Odéon r. de l'	6
42	L11-M12	Odessa r. d'	14
17	F9	Odiot cité	8
10	C19-C20	Oise quai de l'	19
10	C19	Oise r. de l'	19
32	H16 N	Oiseaux r. des	3
40	N7 N	Olier r.	15
42	K11	Olivet r. d'	7
40	N8 N	Olivier-de-Serres pass.	15
40-52	M8-N7	Olivier-de-Serres r.	15
23	F21	Olivier-Métra r.	20
23	F21	Olivier-Métra villa	20
54	P11-N11	Olivier-Noyer r.	14
34	H19	Omer-Talon r.	11
56	R16 N	Onfroy imp.	13
20	E16 S	Onze-Novembre-1918 pl.	10
19-31	H13-G13	Opéra av. de l'	
		nᵒˢ 1-31, 2-26	1
		nᵒˢ 33-fin, 28-fin	2
19-18	F13-F12	Opéra pl. de l'	
		nᵒˢ 1-3, 2-4	2
		nᵒˢ 5, 6-8	9
18	F12	Opéra-Louis-Jouvet sq.	
51	P6-N6	Oradour-sur-Glane r. d'	15
8	C15	Oran r. d'	18
31	H14	Oratoire r. de l'	1
7	D13-C13	d'Orchampt r.	18
55	R14	Orchidées r. des	13
8-7	C16-B13	Ordener r.	18
7	B14 S	Ordener villa	18

31	J14	Orfèvres quai des	1
31	J14 N	Orfèvres r. des	1
35	G21	Orfila imp.	20
23-35	G21-G22	Orfila r.	20
20	G16	Orgues pass. des	3
9	C18	Orgues-de-Flandre allée des	19
21-22	G18-F19	Orillon r. de l'	11
31	H13 N	Orléans galerie d'	1
54	R12	Orléans porte d'	14
54	N12 S	Orléans portiques d'	14
32	K16-K15	Orléans quai d'	4
19	E13	Orléans sq. d'	9
54	P12	Orléans villa d'	14
23	E22	Orme r. de l'	19
35	K21-K22	Ormeaux r. des	20
33-32	J17-J16	d'Ormesson r.	4
8-7	C15-B14	Ornano bd	18
8	B15 S	Ornano sq.	18
7	B14 N	Ornano villa	18
30-29	H11-H9	Orsay quai d'	7
19	D14	Orsel cité d'	18
19	D14	Orsel r. d'	18
35	J21	Orteaux imp. des	20
35-36	J21-J23	Orteaux r. des	20
44	L15 S	Ortolan r.	5
39-40	L6-M7	Oscar-Roty r.	15
6	C12-B12	Oslo r. d'	18
26	J4	Oswaldo-Cruz r.	16
26	J4	Oswaldo-Cruz villa	16
23	F22 N	Otages villa des	20
22	F19	Ottoz villa	20
30	K11	Oudinot imp.	7
42-41	K11-K10	Oudinot r.	7
44	M16	Oudry r.	13
28-40	K8	Ouessant r. d'	15
42	M11 S	Ouest imp. de l'	14
42-41	M11-N10	Ouest r. de l'	14
10-9	C19-B18	Ourcq r. de l'	19
33	K18 N	Ours cour de l'	11
32	H15 N	Ours r. aux	3
42	L12 S	Ozanam pl.	6

34	J19-H19	Pache r.	11
26	K3 N	Padirac sq. de	16
36	K23	Paganini r.	20
43	L14 N	Paillet r.	5
18	G12 N	Paix r. de la	2
8-9	D16-B17	Pajol r.	18
27	J5	Pajou r.	16
31	J14	Palais bd du nos pairs	1
		nos impairs	4
30	H11	Palais-Bourbon pl. du	7
31	H13	Palais-Royal pl. du	1
22	E20 S	Palais-Royal-de-Belleville cité du	19
31	K13	Palatine r.	6
22	F20-E20	Palestine r. de	19
32	G15	Palestro r. de	2
22	F19 S	Pali-Kao r. de	20
8	C15 S	Panama r. de	18
33	K18 N	Panier-Fleuri cour du	11
19	F14 S	Panoramas pass. des	2
19	F14 S	Panoramas r. des	2
34	G20	Panoyaux imp. des	20
22-34	G20	Panoyaux r. des	20
43	L14	Panthéon pl. du	5
11	C21	Pantin porte de	19
30	K12	Pape-Carpentier r.	6
20-19	E15-E14	Papillon r.	9
32	G15	Papin r.	3
29	F15 N	Paradis cité de	10
20	F16-E15	Paradis r. de	10
15	F5 S	Paraguay pl. du	16
22	E19 S	Parc villa du	19
35	H22	Parc-de-Charonne chemin du	20
55	R13	Parc-de-Montsouris r. du	14
55	R13	Parc-de-Montsouris villa	14
27	J6	Parc-de-Passy av. du	16
37	L2-M2	Parc-des-Princes av. du	16
33	K18 N	Parchappe cité	11
31	K14	Parcheminerie r. de la	5
33	J17-H17	Parc-Royal r. du	3
38	M3	Parent-de-Rosan r.	16
18	D12 S	Parme r. de	9
34-21	J19-F18	Parmentier av.	
		nos 1-135, 2-150	11
		nos 137-fin, 152-fin	10
45	L18 N	Parrot r.	12
34-35	G20-G21	Partants r. des	20
32	J15 S	Parvis-Notre-Dame pl. du	4
7	D14 N	Parvis-du-Sacré-Cœur pl.	18
44	M15-N15	Pascal r. nos 1-25, 2-30	
		nos 27-fin, 32-fin	13
33	J17	Pas-de-la-Mule r. du	
		nos impairs 4e - nos pairs	3
33	H17 N	Pasdeloup pl.	11
18	F11	Pasquier r.	8
29	H9	Passage commun	7
29	G9 S	Passage commun	8
7	F10 N	Passage commun	8
17	F10	Passage commun	8
18	E12	Passage commun	8
17	E10	Passage commun	8
22-34	G19	Passage commun	11
33	H18	Passage commun	11
45	K18 S	Passage commun	12
45	L18 N	Passage commun	12
46	L20	Passage commun	12
38	K4 S	Passage commun	16
27	H5 S	Passage commun	16
15-27	G6	Passage commun	16
6	B12 N	Passage commun	18
35	J22 S	Passage commun	20
35	J22 S	Passage commun	20
27	J5 N	Passage commun	16
28-27	J7-K6	Passy port de	16
26	J3 N	Passy porte de	16
27	J6-J5	Passy r. de	16
41	L10-M10	Pasteur bd	15
33	H18	Pasteur r.	11
27	H6	Pasteur-Marc-Boegner r. du	16
33	J17	Pasteur-Wagner r. du	11
32	H16	Pastourelle r.	3
57	R18-P18	Patay r. de	13
35-47	K22	Patenne sq.	20
44	M15 S	Patriarches pass. des	5
44	M15 N	Patriarches r. des	5
27	K5	Patrice-Boudart villa	16
39	K5	Pâtures r. des	16
53	P9 N	Paturle r.	14
4	C8 S	Paul-Adam av.	17
7	D14-C14	Paul-Albert r.	18
54	R12 S	Paul-Appel av.	14
41	M9	Paul-Barruel r.	15
17	F9	Paul-Baudry r.	8
38	K4 S	Paul-Beauregard pl.	16
34	K19	Paul-Bert r.	11
47	N22	Paul-Blanchet sq.	12
5-6	B10-B11	Paul-Bodin r.	17
17	D9	Paul-Borel r.	17
56	S16	Paul-Bourget r.	13
17	F9 N	Paul-Cézanne r.	8
40	L8	Paul-Chautard r.	15
43	K13 S	Paul-Claudel pl.	6
47	M22 N	Paul-Crampel r.	12
23	E21	Paul-de-Kock r.	19
27	J5-H5	Paul-Delaroche r.	16
40	N7-N8	Paul-Delmet r.	15
28-40	K8	Paul-Déroulède av.	15
27	H6-H5	Paul-Doumer av.	16
32	G16 S	Paul-Dubois r.	3
27-39	K5	Paul-Dupuy r.	16
18-19	E12-E13	Paul-Escudier r.	9
7	C14	Paul-Féval r.	18
54	R12	Paul-Fort r.	14
56-55	N15-P14	Paul-Gervais r.	13
39	L6 N	Paul-Hervieu r.	15
56-57	S16-S17	Paulin-Enfert r.	13
56	P15 N	Paulin-Méry r.	13
19-31	G14	Paul-Lelong r.	2
30	J11	Paul-Louis-Courier imp.	7
30	J12-J11	Paul-Louis-Courier r.	7
24	F23-E23	Paul-Meurice r.	20
31-43	K14	Paul-Painlevé pl.	5
38	M3	Paul-Reynaud pl.	16
27	H6 S	Paul-Saunière r.	16
42	M12 N	Paul-Séjourné r.	6
23-35	G22	Paul-Signac pl.	20
35-36	G22-G23	Paul-Strauss r.	20
55	S4-S13	P.-Vaillant-Couturier av.	
		nos pairs 142-156	14
		autres nos	Gentilly

16	G7-F7	Paul-Valéry r.	16	22-11	D19-D21	Petit r.	19
56	P15	Paul-Verlaine pl.	13	5	B10 S	Petit-Cerf pass.	17
22	D20 S	Paul-Verlaine villa	19	38	N3 N	Petite-Arche r. de la	16
53	P10 N	Pauly r.	14	31	J13 S	Petite-Boucherie pass.	6
32	J16	Pavée r.	4	34	J20 S	Petite-Pierre r. de la	11
16	D7 S	Pavillons av. des	17	20	F15	Petites-Ecuries cour des	10
7	B13 N	Pavillons imp. des	18	20	F15	Petites-Ecuries pass. des	10
23	F21	Pavillons r. des	20	20	F15	Petites-Ecuries r. des	10
32-33	J16-J17	Payenne r.	3	32	H15 N	Petite-Truanderie r. de la	1
57	R18	Péan r.	13	44-56	N16 S	Petit-Modèle imp. du	13
40	L8-M8	Péclet r.	15	44	M15 S	Petit-Moine r. du	5
32	H16 S	Pecquay r.	4	33	K17	Petit-Musc r. du	4
38	N4 N	Pégoud r.	15	23	E21 S	Petitot r.	19
42	L12 S	Péguy r.	6	31	J14-K14	Petit-Pont	4-5
32	H15 N	Peintres imp. des	2	31	K14 N	Petit-Pont pl. du	5
22	F19 S	Pékin pass. de	20	31	K14 N	Petit-Pont r. du	5
33	H17-H18	Pelée r.	11	31-20	G14-G15	Petits-Carreaux r. des	2
5	B10	Pèlerin imp. du	17	31	G13	Petits-Champs r. des	
31	H14-H13	Pélican r. du	1			nos impairs 1er - nos pairs	2
35-23	H22-F21	Pelleport r.	20	20	E15	Petits-Hôtels r. des	10
23	F21	Pelleport villa	20	31	G14	Petits-Pères pass. des	2
18	D11 S	Pelouze r.	8	31	G14	Petits-Pères pl. des	2
7	B14	Penel pass.	18	31	G14	Petits-Pères r. des	2
47	L21 N	Pensionnat r. du	12	11	C21-B21	Petits-Ponts rte des	19
17	F10	Penthièvre r. de	8	27	H6	Pétrarque r.	16
18	F11 N	Pépinière r. de la	8	27	H6	Pétrarque sq.	16
42	M11 S	Perceval pass. de	14	20-19	E15-E14	Pétrelle r.	9
42	M11	Perceval r. de	14	20	E15 N	Pétrelle sq.	9
38	K4 S	Perchamps r. des	16	38	K3 S	Peupliers av. des	16
32	H16	Perche r. du	3	56	R15	Peupliers poterne des	13
17	F10 N	Percier av.	8	56	R15	Peupliers r. des	13
20	D16	Perdonnet r.	10	56	P15-R15	Peupliers sq. des	13
26-38	K4	Père-Brottier r. du	16	31	J19-J20	Phalsbourg cité de	11
54	P12-R12	Père-Corentin r. du	14	17	D9 S	Phalsbourg r. de	17
56	P15 N	Père-Guérin r. du	13	4-5	C8-C9	Philibert-Delorme r.	17
34	J19	Père-Chaillet pl. du	11	57-56	R17-R16	Philibert-Lucot r.	13
5-15	C10-E6	Pereire bd	17	36-48	K23	Philidor imp.	20
35	H21 N	Père-Lachaise av. du	20	36	K23	Philidor r.	20
27	J6	Père-Marcellin-Champagnat pl. du	16	47-34	K21-J20	Philippe-Auguste av.	11
				35	K21	Philippe-Auguste pass.	11
33	K17	Père-Teilhard-de-Chardin pl. du	4	44-56	N16 S	Philippe-de-Champagne r.	13
				20-8	E16-C16	Philippe-de-Girard r.	
44	M15 N	Père-Teilhard-de-Chardin r.	5			nos 1-33, 2-34	10
						nos 35-fin, 36-fin	18
15	E6-F6	Pergolèse r.	16	22-21	E19-E18	Philippe-Hecht r.	19
52	P8 N	Périchaux r. des	15	22	F20 S	Piat pass.	20
41	K10-L9	Pérignon r. nos 2-28	7	22	F20-F19	Piat r.	20
		nos impairs, 30-fin	15	33	H17 N	Picardie r. de	3
36	J23 S	Périgord sq. du	20	15	F6 N	Piccini r.	16
23	D21	Périgueux r. de	19	15	F6 S	Picot r.	16
32	H16 S	Perle r. de la	3	47	M22-L21	Picpus bd de	12
32	J15 N	Pernelle r.	4	48	N23	Picpus porte de (Pte Dorée)	12
21-22	F18-F19	Pernette-du-Guillet allée	19	47	K21-N22	Picpus r. de	12
42-41	N11-N10	Pernéty r.	14	19	D13	Piémontési r.	18
17	E9 S	Pérou pl. du	6	32	H15	Pierre-au-Lard r.	4
31	H14 S	Perrault r.	1	34	J20-H20	Pierre-Bayle r.	20
33-32	H17-G16	Perrée r.	3	46	L20 N	Pierre-Bourdan r.	12
41	N10 N	Perrel r.	8	28	G8 S	Pierre-Brisson pl.	16
23-35	G22 N	Perreur pass.	20	44-43	M15-M14	Pierre-Brossolette r.	5
23	G22 N	Perreur villa	20	8	C15	Pierre-Budin r.	18
39	K5 S	Perrichont av.	16	20	F16 S	Pierre-Bullet r.	10
30	J12	Perronet r.	7	16-17	G8-G9	Pierre-Charron r.	8
7	C14	Pers imp.	18	20	F16 S	Pierre-Chausson r.	10
15	D6-E6	Pershing bd	17	38	N3 N	Pierre-de-Coubertin pl.	16
44	L15-M15	Pestalozzi r.	5	16	E7-D8	Pierre-Demours r.	17
40	M8 N	Petel r.	15	21	E17	Pierre-Dupont r.	10
16	D7 S	Péterhof av. de	17	43	L14	Pierre-et-Marie-Curie r.	5
6	B12	Petiet r.	17	24	F23 S	Pierre-Foncin r.	20
23	E21	Pétin imp.	19	6	C12 S	Pierre-Ginier r.	18
34	J19-H19	Pétion r.	11	6	C12 S	Pierre-Ginier villa	18

10	D19 N	Pierre-Girard r.	19	41	L9	Poirier villa	15
57	N18 S	Pierre-Gourdault r.	13	54	R12-R11	Poirier-de-Narçay r.	14
26-38	K4	Pierre-Guérin r.	16	33	J17	Poissonnerie imp. de la	4
18	D12	Pierre-Haret r.	9	19	F14 S	Poissonnière bd nos impairs	2
42	L12	Pierre-Lafue pl.	6			nos pairs	9
43	M14 N	Pierre-Lampué pl.	5	20	G15-F15	Poissonnière r.	2
53	P10	Pierre-Larousse r.	14	8	D15 N	Poissonnière villa	18
16	E8	Pierre-le-Grand r.	8	8	A15-B15	Poissonniers porte des	18
20-8	D16 N	Pierre-l'Ermite r.	8	8	D15-B15	Poissonniers r. des	18
42	K11 S	Pierre-Leroux r.	7	44	K15	Poissy r. de	5
53	P10 S	Pierre-Le-Roy r.	14	31	K14 N	Poitevins r. des	6
32	H15	Pierre-Lescot r.	1	30	H12-J12	Poitiers r. de	7
21-33	G18	Pierre-Levée r. de la	11	33-32	H17-H16	Poitou r. de	3
27-39	K5	Pierre-Louÿs r.	16	7	B13	Pôle-Nord r. du	18
55	S13	Pierre-Massé av.	14	44	M16	Poliveau r.	5
40-52	N7	Pierre-Mille r.	15	15	G5 N	Pologne av. de	16
24-36	G23	Pierre-Mouillard r.	20	8	D15	Polonceau r.	18
43	M14-M13	Pierre-Nicole r.	5	15	G5	Pomereu r. de	16
7-19	D14	Pierre-Picard r.	18	46	N20-M19	Pommard r. de	12
16-28	G8	Pierre-1er-de-Serbie av.		27-15	J5-F6	Pompe r. de la	16
		nos 1-33, 2-28	16	20-32	G15	Ponceau pass. du	2
		nos 35-fin, 30-fin	8	32	G15	Ponceau r. du	2
36	G23	Pierre-Quillard r.	20	16	E8 N	Poncelet pass.	17
6-5	A11-B10	Pierre-Rebière r.	17	16	E8	Poncelet r.	17
31	K14	Pierre-Sarrazin r.	6	28-40	K8	Pondichéry r. de	15
29-20	E14-E15	Pierre-Semard r.	9	58-47	P20-N22	Poniatowski bd	12
24	F23	Pierre-Soulié r.	20	57	P17 S	Ponscarme r.	13
29	H9 S	Pierre-Villey r.	7	6	A11 S	Pont-à-Mousson r. de	17
19	E13 N	Pigalle cité	9	20-32	G16	Pont-aux-Biches pass. du	3
19	D13 S	Pigalle pl.	9	33	H17	Pont-aux-Choux r. du	3
19	E13-D13	Pigalle r.	9	31	J14 S	Pont-de-Lodi r. du	6
33	H18 N	Pihet r.	11	17	F10-F9	Ponthieu r. de	8
19	F13	Pillet-Will r.	9	32	J16	Pont-Louis-Philippe r. du	4
6	C12	Pilleux cité	18	39	L5 N	Pont-Mirabeau rd-pt du	15
44	N16	Pinel pl.	13	31	J14	Pont-Neuf pl. du	1
44	N16	Pinel r.	13	31	H14 S	Pont-Neuf r. du	1
44	M16-N16	Pirandello r.	13	44	K15	Pontoise r. de	5
4	C8	Pissarro r.	17	33	H18	Popincourt cité	11
21	F18 S	Piver imp.	11	33	H18 S	Popincourt imp.	11
21	F18 S	Piver pass.	11	34-33	J19-H18	Popincourt r.	11
23	F21	Pixérécourt imp.	20	18	E11	Portalis r.	8
23	F21	Pixérécourt r.	20	57	S17 N	Port-au-Prince pl. de	13
52	P7	Plaine porte de la	20	52	P8	Pte-Brancion av. de la	15
35-47	K22	Plaine r. de la	20	23	D21	Pte-Brunet av. de la	19
52	P8	Plaisance porte de	15	11	D21	Pte-Chaumont av. de la	19
42-54	N11 S	Plaisance r. de	14	5-4	C9-C8	Pte-d'Asnières av. de la	17
23	F22	Planchart pass.	20	9	A18	Pte-d'Aubervilliers av.	
35	K21-J21	Planchat r.	20			nos impairs 18 - nos pairs	19
20	G16 N	Planchette imp. de la	3	38	K3 S	Pte-d'Auteuil pl. de la	16
46	M20	Planchette ruelle de la	12	36	G23 S	Pte-de-Bagnolet av. de la	20
54	N11-P11	Plantes r. des	14	36	G23-H23	Pte-de-Bagnolet pl. de la	20
54	P11 N	Plantes villa des	14	3-4	D7-D6	Pte-de-Champerret av.	17
22	F20 S	Plantin pass.	20	4	D7 N	Pte-de-Champerret pl.	17
19	D13	Platanes villa des	18			de la	
31	H14 S	Plat-d'Étain r. du	1	59	N21-P22	Pte-de-Charenton av. de la	12
22	E20	Plateau pass. du	19	54-53	R11-R10	Pte-de-Châtillon av. de la	14
22	E20-E19	Plateau r. du	19	54	R11 N	Pte-de-Châtillon pl. de la	14
41	M10 S	Platon r.	15	57	S17	Pte-de-Choisy av. de la	13
32	H16-H15	Plâtre r. du	4	5	B10	Pte-de-Clichy av. de la	17
22-34	G20	Plâtrières r. des	20	7	A14	Pte-de-Clignancourt av.	18
40	M7	Plélo r. de	15	55	S14	Pte-de-Gentilly av. de la	
46	M20	Pleyel r.	12			nos impairs 13e - nos pairs	14
44	H20	Plichon r.	11	8	A16	Pte-de-la-Chapelle av.	18
41	M9	Plumet r.	15	52	P7	Pte-de-la-Plaine av. de la	15
42	M11 N	Poinsot r.	14	10	A20	Pte-de-la-Villette av. de la	19
48	M3	Point-du-Jour porte du	16	24	F23 S	Pte-de-Ménilmontant av.	20
23	J22	Pointe sentier de la	20	7	A13	Pte-de-Montmartre av.	18
47	R17	Pointe-d'Ivry r. de la	13	36	J23 S	Pte-de-Montreuil av. de la	20
7	F9 S	Point-Show-Champs-Elysées galerie	8	36	J23 S	Pte-de-Montreuil pl. de la	20
				54	R11	Pte-de-Montrouge av.	14

11	C21	Pte-de-Pantin av. de la	19
11	C21	Pte-de-Pantin pl. de la	19
26	J3 N	Pte-de-Passy pl. de la	16
52	P8	Pte-de-Plaisance av. de la	15
37	M2	Pte-de-St-Cloud av. de la	16
37-38	M2-M3	Pte-de-St-Cloud pl. de la	16
6	A12	Pte-de-St-Ouen av. de la	
		nos impairs 17e - nos pairs	18
39	N5	Pte-de-Sèvres av. de la	15
23-24	E22-E23	Pte-des-Lilas av. de la	
		nos impairs	19
		nos pairs	20
8	A15	Pte-des-Poissonniers av.	18
15	D6 S	Pte-des-Ternes av. de la	17
53	P9-R9	Pte-de-Vanves av. de la	14
53	P9 S	Pte-de-Vanves pl. de la	14
53	P9 S	Pte-de-Vanves sq. de la	14
40-52	N7 S	Pte-de-Versailles pl. de la	15
15	D6	Pte-de-Villiers av. de la	17
48	L24-L23	Pte-de-Vincennes av.	
		nos 2-24, 143-151	12
		nos 1-23, 198	20
58	R19	Pte-de-Vitry av. de la	13
53	P10 S	Pte-Didot av. de la	14
39	N6	Pte-d'Issy r. de la	15
56	S16	Pte-d'Italie av. de la	13
57	R18-R17	Pte-d'Ivry av. de la	13
54	R12 S	Pte-d'Orléans av. de la	14
23	E22-D22	Pte-du-Pré-St-Gervais av. de la	19
32	H16 N	Portefoin r.	3
15	E6	Pte-Maillot pl. de la	16-17
37	L2	Pte-Molitor av. de la	16
37-38	L2-L3	Pte-Molitor pl. de la	16
6	A11 S	Pte-Pouchet av. de la	17
8	C15 N	Portes-Blanches r. des	18
19	G13 N	Port-Mahon r. de	2
44-43	M15-M13	Port-Royal bd de	
		nos 1-93	13
		nos 95-fin	14
		nos pairs	5
43	M14 S	Port-Royal cité de	13
43	M14 S	Port-Royal sq. de	13
16	F7 S	Portugais av. des	16
27	H5 S	Possoz pl.	16
44	M15 N	Postes pass. des	1
44	L15 S	Pot-de-Fer r. du	5
7	B13 N	Poteau pass. du	18
7	B14-B13	Poteau r. du	18
56	R15-S15	Poterne-des-Peupliers r.	13
31	G13 S	Potier pass.	1
9	B18-C18	Pottier cité	19
6	B11	Pouchet pass.	17
6	B11	Pouchet porte	17
6	C11-B11	Pouchet r.	17
7	C13-D14	Poulbot r.	18
35	J21-K21	Poule imp.	20
8	C15 S	Poulet r.	18
32	K16	Poulletier r.	4
38	K4-K3	Poussin r.	16
56	P15 S	Pouy r. de	13
22	F19-E19	Pradier r.	19
20	G15-F15	Prado pass. du	10
33-45	K18 S	Prague r. de	12
35	H22	Prairies r. des	20
8	B16 N	Pré r. du	18
22	E19	Préault r.	19
30	J12	Pré-aux-Clercs r. du	7
32	H15	Prêcheurs r. des	1
23	D21-D22	Pré-St-Gervais porte du	19
23	E21	Pré-St-Gervais r. du	19
16	F8-F7	Presbourg r. de	
		nos 1-2	8
		nos 3-fin, 4-fin	16
22-21	F19-F18	Présentation r. de la	11
30	H11	Président-Ed.-Herriot pl.	7
28-27	J7-K5	Président-Kennedy av. du	16
29	K10	Président-Mithouard pl.	7
28	G8-H7	Président-Wilson av. du	
		nos impairs, nos 8-fin	16
		nos 2-6	8
28	K8 N	Presles imp. de	15
28	K8 N	Presles r. de	15
22	G19 N	Pressoir r. du	20
27	G6 S	Prêtres imp. des	16
31	H14 S	Prêtres-St-Germain-l'Auxerrois r. des	1
31	K14 N	Prêtres-St-Séverin r. des	5
53	P9 S	Prévost-Paradol r.	14
32	J16 S	Prévôt r. du	4
22-23	D20-D21	Prévoyance r. de la	19
44-56	N16	Primatice r.	13
31	H17-H18	Primevères imp. des	11
15	F13 S	Princes pass. des	2
31	K13 N	Princesse r.	6
5	C9 S	Printemps r. du	17
54	R12 N	Prisse-d'Avesnes r.	14
41	M9-N10	Procession r. de la	15
36	J24-J23	Prof.-André-Lemierre av. du	
		nos impairs	20
		nos pairs Montreuil-Bagnolet	
8-7	A15-A14	Professeur-Gosset r. du	18
54	R12-S12	Professeur-Hyacinthe-Vincent r. du	14
56	R15 S	Prof.-Louis-Renault r. du	13
23	E21 N	Progrès villa du	19
17-16	E9-D8	de Prony r.	17
17	D10 S	Prosper-Goubaux pl.	
		nos impairs	8
		nos pairs	17
34	K20 N	Prost cité	11
46	M20	Proudhon r.	12
31	H14	Prouvaires r. des	1
19	F13 N	Provence av. de	9
19-18	F14-F12	Provence r. de	
		nos 1-125, 2-118	9
		nos 127-fin, 120-fin	8
35	J22 S	Providence imp. de la	20
56-55	R15-P14	Providence r. de la	13
26	H4 S	Prudhon av.	16
34	H20-G20	Pruniers r. des	20
19	D13	Puget r.	18
44	L15 S	Puits-de-l'Ermite pl. de	5
44	L15 S	Puits-de-l'Ermite r. du	5
5	C10 S	Pusy cité de	17
18	F11	Puteaux pass.	8
18	D11	Puteaux r.	17
4	D8 N	Puvis-de-Chavannes r.	17
35	H22-G22	Py r. de la	20
31-30	H13-H12	Pyramides pl. des	1
31	H13-G13	Pyramides r. des	1
47-22	K22-F20	Pyrénées r. des	20
35	J22-K22	Pyrénées villa des	20

q

44	L15 S	de Quatrefages r.	5
32	H16	Quatre-Fils r. des	3
7	C13	Quatre-Frères-Casadesus pl. des	18
39	L6 N	Quatre-Frères-Peignot r.	15
19	G13-F13	Quatre-Septembre r. du	2
31	K13 N	Quatre-Vents r. des	6
31	J13 S	Québec pl. du	6

33	J18 S	Quellard cour	11
16-17	G8-F9	Quentin-Bauchart r.	8
36	K23 N	Quercy sq. du	20
22	G19	Questre imp.	11
40	L8	Quinault r.	15
32	H15	Quincampoix r.	
		nos 1-63, 2-64	4
		nos 65-fin, 66-fin	3

r

17	F10 S	Rabelais r.	8
38	K3	Racan sq.	16
18	D12	Rachel av.	18
38	L3 S	Racine imp.	16
31-43	K14-K13	Racine r.	6
31	G13 S	Radziwill r.	1
37	L2 S	Raffaëlli r.	16
26	K4	Raffet imp.	16
26	K4-K3	Raffet r.	16
46	L19	Raguinot pass.	12
47	M22 N	Rambervillers r. de	12
45-46	L18-L19	Rambouillet r. de	12
32-31	H16-H14	Rambuteau r.	
		nos 1-73	4
		nos 2-66	3
		nos 75-fin, 68-fin	1
19	G13	Rameau r.	2
7-8	C14-C15	Ramey pass.	18
8-7	C15-C14	Ramey r.	18
22	F19	Rampal r.	19
33	G17	Rampon r.	11
22	F19	Ramponeau r.	20
35	H21	Ramus r.	20
35	J22	Rançon imp.	20
26	J4 N	Ranelagh av. du	16
27-26	K6-J4	Ranelagh r. du	16
26	J4	Ranelagh sq. du	16
47	M21	Raoul r.	12
42	M11 N	Raoul-Dautry pl.	15
45	M18-L17	Rapée port de la	12
45	M18-L17	Rapée quai de la	12
26	H4-J4	Raphaël av.	16
28	H8-J8	Rapp av.	7
28	J8 N	Rapp sq.	7
30-42	J12-N12	Raspail bd	
		nos 1-41, 2-46	7
		nos 43-147, 48-136	6
		nos 201-fin, 202-fin	14
36	J23	Rasselins r. des	20
43	L14-M14	Rataud r.	5
34	J19 S	Rauch pass.	11
7	D13 N	Ravignan r.	18
56	R16 S	Raymond pass.	13
42-53	N11-P9	Raymond-Losserand r.	14
4	C8	Raymond-Pitet r.	17
27-15	H6-F6	Raymond-Poincaré av.	16
27	J6-K5	Raynouard r.	16

27	J6 N	Raynouard sq.	16
32-19	G16-G14	Réaumur r. nos 1-49, 2-72	3
		nos 51-fin, 74-fin	2
21-22	F18-F19	Rébeval r.	19
30	K12 N	Récamier r.	7
20	F16 N	Récollets pass. des	10
21-20	F17-F16	Récollets r. des	10
27-26	K5-J4	Recteur-Poincaré av. du	16
56	N15 S	Reculettes r. des	13
4-5	C8-C9	Redon r.	17
42	K12 S	Regard r. du	6
42	K11 S	Régis r.	6
36	J23 S	Réglises r. des	20
31-43	K13	Regnard r.	6
58-57	P19-R17	Regnault r.	13
20	F15-F16	Reilhac pass.	10
55	P14-R13	Reille av.	14
55	P14-P13	Reille imp.	14
4	C8	Reims bd de	17
57	P18	Reims r. de	13
30-29	G11-G10	Reine cours la	8
29	G9 S	Reine-Astrid pl. de la	8
44	M15-N15	Reine-Blanche r. de la	13
31	H14 N	Reine-de-Hongrie pass.	1
17	E9	Rembrandt r.	8
39-38	K5-K4	de Rémusat r.	16
22-21	E19-E18	Rémy-de-Gourmont r.	19
55-54	P13-P12	Remy-Dumoncel r.	14
29-17	G9	Renaissance r. de la	8
23	E21 N	Renaissance villa de la	19
32	J15-H15	Renard r. du	4
16	E8-D8	Renaudes r. des	17
47	L22	Rendez-Vous cité du	12
47	L22	Rendez-Vous r. du	12
26	J4-K4	René-Bazin r.	16
7	A14-A13	René-Binet r.	18
20	G16 N	René-Boulanger r.	10
27	J6	René-Boylesve av.	16
21	E17	René-Cassin pl.	10
43-55	N13-R13	René-Coty av.	14
24	E23	René-Fonck av.	19
44	M16	René-Panhard r.	13
34	H20	René-Villermé r.	11
16	E8-D8	Rennequin r.	17
31-42	J13-L11	Rennes r. de	6
34	J20-H20	Repos r. du	20
33-34	G17-H20	République av. de la	11

41

21-33	G17	République pl. de la	
		nos impairs	3
		nos 2-10	11
		nos 12-16	10
17	E9	Rép.-de-l'Equateur pl. de la	8
17	E9 N	Rép.-Dominicaine pl. de la	
		nos impairs 8e - nos pairs	17
57	P18 S	Résal r.	13
28	H8	Résistance pl. de la	7
18	G11 N	Retiro cité du	8
23	G21 N	Retrait pass. du	20
23-35	G21	Retrait r. du	20
46-47	M20-M21	Reuilly bd de	12
47	N22	Reuilly porte de	12
46-47	K20-M21	Reuilly r. de	12
38	L4 S	Réunion grande avenue de la Villa de la	16
35	J22	Réunion pl. de la	20
35	K22-J21	Réunion r. de la	20
38	L4 S	Réunion villa de la	16
36-48	K23	Reynaldo-Hahn r.	20
22	D19	Rhin r. du	19
11-23	D21 S	Rhin-et-Danube pl. de	19
4	C8	Rhône sq. du	17
26	K4	Ribera r.	16
35	J21 N	Riberolle villa	20
40	L8 N	Ribet imp.	15
35	H22 S	Riblette	20
22-34	G19	Ribot cité	11
19	E14 S	Riboutté r.	9
56	P16 N	Ricaut r.	12
41	N9	Richard imp.	15
18	D11	Richard-Baret pl.	17
33	J17-G17	Richard-Lenoir bd	11
34	J19	Richard-Lenoir r.	11
31	G13-H13	Richelieu pass. de	1
31-19	H13-F14	Richelieu r. de	
		nos 1-53, 2-56	1
		nos 55-fin, 58-fin	2
57	P17	Richemond r. de	13
18	G11-G12	Richepance r. nos impairs	8
		nos pairs	1
20-19	F15-F14	Richer r.	9
21	F17	Richerand av.	10
8	D15 N	Richomme r.	18
53	N10 S	Ridder r. de	14
18	F11 N	Rigny r. de	8
23-22	F21-F20	Rigoles r. des	20
22	D20 S	Rimbaud villa	19
54	P12 N	Rimbaut pass.	14
17	E10	Rio-de-Janeiro pl. de	8
9-8	C18-C16	Riquet r. nos 1-53, 2-64	19
		nos 65-fin, 66-fin	18
20	F16-G16	Riverin cité	10
34	G20	Rivière pass.	20
32-30	J16-G11	Rivoli r. de	
		nos 1-39, 2-96	4
		nos 41-fin, 98-fin	1
7	B13	Robert imp.	18
21	E17	Robert-Blache r.	10
27-39	K6	Robert-de-Flers r.	15
29	H10	Robert-Esnault-Pelterie r.	7
17	G9 N	Robert-Estienne r.	8
58	P20	Robert-Etlin r.	12
40	L8	Robert-Fleury r.	15
21	F18 S	Robert-Houdin r.	11
27	J5 S	Robert-Le-Coin r.	16
40	N8	Robert-Lindet r.	15
40	N8	Robert-Lindet villa	15
19	D13	Robert-Planquette r.	18
29	H9	Robert-Schuman av.	7
26	K4 N	Robert-Turquan r.	16
6	B11	Roberval r.	17
29	J9 N	Robiac sq. de	7
35	G21 S	Robineau r.	20
42	L12 S	Robiquet imp.	6
26	K3 N	Rocamadour sq. de	16
28	G8 S	Rochambeau pl.	16
19	E14	Rochambeau r.	9
34	H19	Rochebrune pass.	11
34	H19	Rochebrune r.	11
20-19	D15-D14	de Rochechouart bd	
		nos impairs	9
		nos pairs	18
19	E14-D14	de Rochechouart r.	9
18	E11	Rocher r. du	8
20	E15 N	Rocroy r. de	10
43	N13	Rodenbach allée	14
19	E14	Rodier r.	9
27	H5 N	Rodin av.	16
26	J4 S	Rodin pl.	16
42	N12 N	Roger r.	14
16	D7 S	Roger-Bacon r.	17
33	J17	Roger-Verlomme r.	3
31	K13 N	Rohan cour de	6
31	H13 N	Rohan r. de	1
8	B15	Roi-d'Alger pass. du	18
7-8	B14-B15	Roi-d'Alger r. du	18
32	J16	Roi-de-Sicile r. du	4
33	H17 S	Roi-Doré r. du	3
32	G15	Roi-François cour du	2
7	C13-C14	Roland-Dorgelès carr.	20
24-36	G23	Roland-Garros sq.	20
55	R14 S	Roli r.	14
35	J21-K21	Rolleboise imp.	20
44	L15	Rollin r.	5
54-53	S12-R10	Romain-Rolland bd	14
23	E21-E22	Romainville r. de	19
32	H16 N	Rome cour de	3
18	E11 S	Rome cour de	8
18-5	F12-C10	Rome r. de nos 1-73, 2-82	8
		nos 75-fin, 84-fin	17
35	G21 S	Rondeaux pass. des	20
35	H21-G21	Rondeaux r. des	20
46	L20 N	Rondelet r.	12
35	H21 N	Rondonneaux r. des	20
7	D14 N	Ronsard r.	18
41	L10 N	Ronsin imp.	15
18	F11	Roquépine r.	8
33	J18	Roquette cité de la	11
33-34	J18-H20	Roquette r. de la	11
41	L10-L9	Rosa-Bonheur r.	15
41-53	N9	Rosenwald r.	15
9-8	B17-B16	Roses r. des	18
8	B16 S	Roses villa des	18
40	L7	Rosière r. de la	15
32	J16	Rosiers r. des	4
56	S16	Rosny-Aîné sq.	13
19	F14-F13	Rossini r.	9
6	C12 S	Rothschild imp.	9
43	K13 S	Rotrou r.	6
47-48	M22-23	Rottembourg r.	12
20	E15-E16	Roubaix pl. de	18
34-46	K20	Roubo r.	11
27-40	K6-K7	Rouelle r.	15
9	C18 S	Rouen r. de	19
54	P12 S	Rouet imp. du	14
19	F14	Rougemont cité	9

19	F14	**Rougemont r.**	9
30	G12 S	**Rouget-de-l'Isle r.**	1
31	H14 S	**Roule r. du**	1
16	E8 S	**Roule sq. du**	8
42	K11 S	**Rousselet r.**	7
34	G20 S	**Routy-Philippe imp.**	20
10	B20-B19	**Rouvet r.**	19
38	L4-L3	**Rouvray av. de**	16
16	D8 S	**Roux imp.**	17
18	F11 N	**Roy r.**	8
30	H12 S	**Royal pont**	1-7
18	G11	**Royale r.**	8
43	L14	**Royer-Collard imp.**	5
43	L14	**Royer-Collard r.**	5
44	N16	**Rubens r.**	13
16	F7 N	**Rude r.**	16
8	C16 S	**Ruelle pass.**	18
15	D6 S	**Ruhmkorff r.**	17
7	B14	**Ruisseau r. du**	18
55	R14	**Rungis pl. de**	13
55	R14	**Rungis r. de**	13
17	E10	**Ruysdaël av.**	8

S

54	N12-N11	**Sablière r. de la**	14
27	G6-H6	**Sablons r. des**	16
15	E6 N	**Sablonville r. de**	17
30	K12 N	**Sabot r. du**	6
7	C14 S	**Sacré-Cœur cité du**	18
7-19	D14 N	**Sacré-Cœur parvis du**	18
23	E21 N	**Sadi-Carnot villa**	19
21	E18 N	**Sadi-Lecointe r.**	19
47-48	M22-M23	**Sahel r. du**	12
47	M22 N	**Sahel villa du**	12
15	F6-F5	**Saïd villa**	16
52	N7-N8	**Saïda r. de la**	15
16	F7 N	**Saïgon r. de**	16
54	N12 S	**Saillard r.**	14
54	R12	**St-Alphonse imp.**	14
41	N9	**Saint-Amand r.**	15
34-33	H19-H18	**St-Ambroise pass.**	11
33-34	H18-H19	**St-Ambroise r.**	11
31	K14 N	**St-André-des-Arts pl.**	6
31	J14-J13	**St-André-des-Arts r.**	6
6	B12 N	**Saint-Ange imp.**	17
6	B12 N	**Saint-Ange pass.**	17
33	K18 N	**St-Antoine pass.**	11
33-32	J17-J16	**St-Antoine r.**	4
18	F11 N	**St-Augustin pl.**	8
19	G13 N	**St-Augustin r.**	2
31	J13 S	**St-Benoît r.**	6
34	K19	**St-Bernard pass.**	11
45-44	L17-K16	**St-Bernard port**	5
45-44	L17-K16	**St-Bernard quai**	5
34	K19	**St-Bernard r.**	11
35	H22 S	**St-Blaise pl.**	20
35-36	H22-J23	**St-Blaise r.**	20
32	J15 N	**St-Bon r.**	4
8	D16 N	**St-Bruno r.**	18
39	L6 N	**St-Charles imp.**	15
40	K7 S	**St-Charles pl.**	15
39	L6 S	**St-Charles rd-pt**	15
28-39	K7-M5	**St-Charles r.**	15
46	L20 N	**St-Charles sq.**	12
21	F18-E18	**St-Chaumont cité**	19
39	L5-L6	**St-Christophe r.**	15
33	H17 S	**St-Claude imp.**	3
33	H17 S	**St-Claude r.**	3
37	M2-N2	**St-Cloud porte de**	16
20	G16-G15	**St-Denis bd**	
		nos 1-9	3
		nos 11-fin	2
		nos pairs	10
20-32	G15	**St-Denis galerie**	2
32	G15 S	**St-Denis imp.**	2
32-20	J15-G15	**St-Denis r.**	
		nos 1-133, 2-104	1
		nos 135-fin, 106-fin	2
28-27	G7-G6	**St-Didier r.**	16
30-28	J11-J8	**St-Dominique r.**	7
7	D14 N	**St-Eleuthère r.**	18
46	L20 N	**St-Eloi cour**	12
34	K19	**St-Esprit cour du**	11
44	L15 N	**St-Etienne-du-Mont r.**	5
31	H14 N	**St-Eustache imp.**	1
38	M4-N3	**Saint-Exupéry quai**	16
23	F22 S	**St-Fargeau pl.**	20
23	F22	**St-Fargeau r.**	20
16	E7	**St-Ferdinand pl.**	17
16-15	E7-E6	**St-Ferdinand r.**	17
32	H15 S	**St-Fiacre imp.**	4
19	G14-F14	**St-Fiacre r.**	2
18-30	G11	**St-Florentin r.** nos pairs	1
		nos impairs	8
33-45	K18 S	**St-François cour**	12
7	B14 N	**St-François imp.**	18
19	E13	**St-Georges pl.**	9
19	F13-E13	**St-Georges r.**	9
44-30	K16-H11	**St-Germain bd**	
		nos 1-73, 2-100	5
		nos 75-175, 102-186	6
		nos 177-fin, 188-fin	7
31	J13 S	**St-Germain-des-Prés pl.**	6
31	J14 N	**St-Germain-l'Auxerrois r.**	1
32	J15	**St-Gervais pl.**	4
33	J17 N	**St-Gilles r.**	3
55	P13	**St-Gothard r. du**	14
30	J12	**St-Guillaume r.**	7
44-43	N15-N14	**St-Hippolyte r.**	13
31-18	H14-G11	**St-Honoré r.**	
		nos 1-271, 2-404	1
		nos 273-fin, 406-fin	8
15-27	G6	**St-Honoré-d'Eylau av.**	16
34	H19 N	**St-Hubert r.**	11
30	G12 S	**St-Hyacinthe r.**	1
33	H18	**St-Irénée sq.**	11
43-55	N14-N13	**St-Jacques bd**	14
33	J18 S	**St-Jacques cour**	11
43	N13	**St-Jacques pl.**	14
31-43	K14-M14	**St-Jacques r.**	5
55	N13 S	**St-Jacques villa**	14

6	C11-C12	St-Jean r.	17
42	L11 *N*	St-Jean-Baptiste-de-la-Salle r.	6
8	D16 *N*	St-Jérôme r.	18
33	K18 *N*	St-Joseph cour	11
42	N11 *N*	St-Joseph imp.	14
19	G14 *N*	St-Joseph r.	2
32	H15	St-Josse pl.	4
7	B13 *N*	St-Jules pass.	18
31	K14 *N*	St-Julien-le-Pauvre r.	5
5	B10 *N*	Saint-Just r.	17
40	M7-N7	St-Lambert r.	15
20	E16 *S*	St-Laurent r.	10
19-18	E13-E12	St-Lazare r.	
		nos 1-109, 2-106	9
		Nos 111-fin, 108-fin	8
33	K18 *N*	St-Louis cour	11
32	K15 *N*	St-Louis pont	4
32	K16-K15	St-Louis-en-l'Ile r.	4
8	D15 *N*	St-Luc r.	18
47-48	L21-L23	St-Mandé av. de	12
48	L23	St-Mandé porte de	12
47	L22-L21	St-Mandé villa de	12
19	F14 *S*	St-Marc galerie	2
19	F14-F13	St-Marc r.	2
4	C8	de Saint-Marceaux r.	
44	M16-M15	St-Marcel bd nos impairs	13
		nos pairs	5
20	G16	St-Martin bd	
		nos impairs	3
		nos pairs	10
20	F16	St-Martin cité	10
32-20	J15-G16	St-Martin r.	
		nos 1-143, 2-152	4
		nos 145-fin, 154-fin	3
8	D16 *N*	St-Mathieu r.	18
34	H19 *N*	St-Maur pass.	11
34-21	H19-F18	St-Maur r.	
		nos 1-175, 2-176	11
		nos 177-fin, 178-fin	10
44	L15 *S*	St-Médard r.	5
32	H15	St-Merri r.	4
31-43	K14-M13	St-Michel bd nos impairs	5
		nos pairs	6
6	C12	St-Michel pass.	17
31	J14 *S*	St-Michel pl. nos 1-7	5
		nos 2-10, 9-13	6
31	J14	St-Michel pont	4-5
31	K14-J14	St-Michel quai	5
6	C12	St-Michel villa	18
34	K20	St-Nicolas cour	11
33	K18	St-Nicolas r.	12
6	C12-B12	St-Ouen av. de	
		nos impairs	17
		nos pairs	18
6	B12 *S*	St-Ouen imp.	17
6	A12	St-Ouen porte de	17-18
35	J22	St-Paul imp.	20
32	J16 *S*	St-Paul pass.	4
32-33	K16-J17	St-Paul r.	4
20	G15 *N*	St-Philippe r.	2
17	F10	St-Ph.-du-Roule pass.	8
17	F9	St-Philippe-du-Roule r.	8
6	C12 *S*	St-Pierre cour	17
35	J22-J21	St-Pierre imp.	20
19	D14	St-Pierre pl.	18
33	H17-H18	St-Pierre-Amelot pass.	11
42	L12-K11	St-Placide r.	6
20	E16	St-Quentin r. de	10
31	G13 *S*	St-Roch pass.	1

30-31	H12-G13	St-Roch r.	1
42	K11-L11	St-Romain r.	6
7	C14 *S*	St-Rustique r.	18
33	J18-H17	St-Sabin r.	11
28	J7-K7	St-Saëns r.	15
32	G15 *S*	St-Sauveur r.	11
33	H18	St-Sébastien imp.	11
33	H17-H18	St-Sébastien pass.	11
33	H17-H18	St-Sébastien r.	11
16	D7 *S*	de Saint-Senoch r.	17
31	K14 *N*	St-Séverin r.	5
30	J11	de Saint-Simon r.	7
23	F21 *S*	Saint-Simoniens pass. des	20
20	G15 *N*	St-Spire r.	2
31	K13	St-Sulpice pl.	6
31	K13	St-Sulpice r.	6
30	J12	St-Thomas-d'Aquin pl.	7
30	J12	St-Thomas-d'Aquin r.	7
44	K15 *S*	St-Victor r.	5
22	E20	St-Vincent imp.	19
7	C14-C13	St-Vincent r.	18
20	E15-D15	St-Vincent-de-Paul r.	10
55-54	R13-P12	St-Yves r.	14
33	H17 *S*	Ste-Anastase r.	3
19	G13	Ste-Anne pass.	2
19-31	G13	Ste-Anne r.	
		nos 1-47, 2-38	1
		nos 49-fin, 40-fin	2
33	J17-J18	Ste-Anne-Popincourt pass.	11
20	G16-G15	Ste-Apolline r.	
		nos 1-11, 2-8	3
		nos 13-fin, 10-fin	2
32	H16 *S*	Ste-Avoie pass.	3
42	L12	Sainte-Beuve r.	6
20-19	F15-F14	Ste-Cécile r.	9
46	L20	Sainte-Claire-Deville r.	12
6	B11	Ste-Croix imp.	17
32	J16-H15	Ste-Croix-de-la-Bretonnerie r.	4
32	J15 *N*	Ste-Croix-de-la-Bretonnerie sq.	4
32	G16 *S*	Ste-Elisabeth pass.	3
32	G16 *S*	Ste-Elisabeth r.	3
40	N8 *N*	Ste-Eugénie av.	15
41	M9	Ste-Félicité r.	15
20	G15	Ste-Foy galerie	2
20	G15 *N*	Ste-Foy pass.	2
20	G15 *N*	Ste-Foy r.	2
43-44	L14-L15	Ste-Geneviève pl.	5
56	S15 *N*	Ste-Hélène r. de	13
7	B14 *N*	Ste-Henriette imp.	18
7	B14 *S*	Ste-Isaure r.	18
42	N11	Ste-Léonie imp.	14
39	L6	Ste-Lucie r.	15
48	N23-N24	Ste-Marie av.	12
24	F23 *S*	Ste-Marie villa	20
21	F18	Ste-Marthe imp.	10
21	F18	Ste-Marthe r.	10
6	B12	Ste-Monique imp.	18
32-31	H15-H14	Ste-Opportune pl.	1
31-32	H14-H15	Ste-Opportune r.	1
31-30	J13-H12	Sts-Pères port des	6-7
31-30	J13-K12	Sts-Pères r. des nos impairs	7
		nos pairs	7
32-33	H16-H17	Saintonge r. de	3
33	J18	Salarnier pass.	11
31	K14 *N*	Salembrière imp.	5
5-17	D10 *N*	Salneuve r.	17

32	G15	**Salomon-de-Caus** r.	3
15	D6 S	**Salonique** av. de	17
21	F17-F18	**Sambre-et-Meuse** r. de	10
56	P15	**Samson** r.	13
47	N22	**Sancerrois** sq. du	12
18	F12	**Sandrié** imp.	9
43	M14 S	**Santé** imp. de la	13
43-55	M14-P14	**Santé** r. de la	
		nos impairs	13
		nos pairs	14
47	L21-L22	**Santerre** r.	12
14	M15	**Santeuil** r.	5
29	J10 N	**Santiago-du-Chili** pl.	7
41	N9	**Santos-Dumont** r.	15
41	N9	**Santos-Dumont** villa	15
54	P12	**Saône** r. de la	14
39	M6-L6	**Sarasate** r.	15
54	P12-R12	**Sarrette** r.	14
35	J22	**Satan** imp.	20
6	C11-B11	**Sauffroy** r.	17
7	C13-C14	**Saules** r. des	18
19	F14-E14	**Saulnier** r.	9
18	F11 S	**Saussaies** pl. des	8
17-18	F10-F11	**Saussaies** r. des	8
16	E8	**Saussier-Leroy** r.	17
17-5	D10-C9	de **Saussure** r.	17
42	M11 S	**Sauvageot** r.	14
31	H14	**Sauval** r.	1
35	J22	**Savart** pass.	20
22	F20	**Savies** r. de	20
31	J14 S	**Savoie** r. de	6
29	J9 S	**Savorgnan-de-Brazza** r.	7
41	K9-L10	**Saxe** av. de	
		nos impairs, nos 2-48	7
		nos 50-fin	15
29-41	K9	**Saxe** villa de	7
19	D14 S	**Say** r.	9
33	J17	**Scarron** r.	11
27	H6	**Scheffer** r.	16
27	H6-H5	**Scheffer** villa	16
42	N12 N	**Schoelcher** r.	14
45	K17 S	de **Schomberg** r.	4
36	K23 N	**Schubert** r.	20
28	K7	**Schutzenberger** r.	15
44	M15 S	**Scipion** r.	5
18	F12	**Scribe** r.	9
30	J12	**Sébastien-Bottin** r.	7
39	L5-L6	**Sébastien-Mercier** r.	15
32-20	J15-G15	**Sébastopol** bd de	
		nos 1-65	1
		nos 67-fin	2
		nos 2-40	4
		nos 42-fin	3
21-22	D18-E19	**Secrétan** av.	19
40	K8 S	**Sécurité** pass.	15
33	J18	**Sedaine** cour	11
33-34	J18-H19	**Sedaine** r.	11
28	H8-J8	**Sédillot** r.	7
28-29	J8-J9	**Sédillot** sq.	7
31	J14 S	**Séguier** r.	6
29-41	K10-L9	de **Ségur** av.	
		nos 1-73, 2-36	7
		nos 75-fin, 38-fin	15
29-41	K9-K10	de **Ségur** villa	7
9-10	D18-C19	**Seine** quai de la	19
31	J13-K13	**Seine** r. de	6
17-29	G10	**Selves** av. de	8
31-43	K13	**Séminaire** allée du	6
22	F19 S	**Sénégal** r. du	20
4	C8 S	**Senlis** r. de	17
19	G14-F14	**Sentier** r. du	2
11	C21-C22	**Sept-Arpents** r. des	19
46-47	L20-L21	**Sergent-Bauchat** r. du	12
16	D7 S	**Sergent-Hoff** r. du	17
37	M2	**Sergent-Maginot** r. du	16
31	K14 N	**Serpente** r.	6
36	H23	**Serpollet** r.	20
40	M7 N	**Serret** r.	15
23-11	E22-B21	**Sérurier** bd	19
34	H19	**Servan** r.	11
34	H19	**Servan** sq.	11
43	K13	**Servandoni** r.	6
54-55	P12-P13	**Seurat** villa	14
42-54	N11 S	**Sévero** r.	14
19	D14	**Seveste** r.	18
32-33	J16-J17	de **Sévigné** r.	
		nos 1-21, 2-34	4
		nos 23-fin, 36-fin	3
39	N5	**Sèvres** porte de	15
30-41	K12-L10	**Sèvres** r. de	
		nos 1-143, 2-8	6
		nos 10-98	7
		nos 145-fin, 100-fin	15
28	K7	**Sextius-Michel** r.	15
18	F12 S	de **Sèze** r. nos 1-11, 2-18	9
		nos 13-fin, 20-fin	8
15	F6 S	**Sfax** r. de	16
27	H5	**Siam** r. de	16
20	F16 N	**Sibour** r.	10
47	M22-L22	**Sibuet** r.	12
47	M21-22	**Sidi-Brahim** r.	12
56	P15	**Sigaud** pass.	13
11-23	D21-D22	**Sigmund-Freud** r.	19
28	H8-J8	**Silvestre-de-Sacy** av.	7
8-7	C15-C14	**Simart** r.	18
22-21	F19-E18	**Simon-Bolivar** av.	19
7	C13	**Simon-Dereure** r.	18
56	P15	**Simonet** r.	13
32	H15 S	**Simon-le-Franc** r.	4
8-7	B15-B14	**Simplon** r. du	18
27	J5	**Singer** pass.	16
27	J5	**Singer** r.	16
32	J16 N	**Singes** pass. des	4
5	C9	**Sisley** r.	17
42	N12	**Sivel** r.	14
9	A18	**Skanderbeg** pl.	19
55	P14	**Sœur-Catherine-Marie** r.	13
56	N15 S	**Sœur-Rosalie** av. de la	13
20	D15	**Sofia** r. de	18
9	D18 N	**Soissons** r. de	19
23	F21 N	**Soleil** r. du	20
41	M9 N	**Soleil-d'Or** cour du	15
34-35	G20-G21	**Soleillet** r.	20
30	H12	**Solférino** pont de	1-7
30	H12-H11	**Solférino** port de	7
30	H11 S	**Solférino** r. de	7
22-23	D20-D21	**Solidarité** r. de la	19
22	E20	**Solitaires** r. des	19
4	C7-D7	**Somme** bd de la	17
38	M3 S	**Sommeiller** villa	16
32-31	K15-K14	du **Sommerard** r.	5
53	P9 N	**Sommet-des-Alpes** r. du	15
15	F6 S	**Sontay** r. de	16
54	P12-N12	**Sophie-Germain** r.	14
22-35	G20-G21	**Sorbier** r.	20
43	K14 S	**Sorbonne** pl. de la	5
43	K14 S	**Sorbonne** r. de la	5
23-35	G22	**Souchet** villa	20
27	H5 N	**Souchier** villa	16
28-40	K8	**Soudan** r. du	15

43	L14 N	Soufflot r.	5
35	J21 S	Souhaits imp. des	20
57	P17	Souham pl.	13
47-48	N22-L23	Soult bd	12
23	G21 N	Soupirs pass. des	20
26-38	K4	Source r. de la	16
34	K20	Souzy cité	11
34	H20 N	Spinoza r.	11
15-27	F5-G5	Spontini r.	16
15	G5	Spontini villa	16
38	K4-K3	Square av. du	16
7-6	B13-B12	Square-Carpeaux r. du	18
41	L10 S	de Staël r.	15
21	D18-D17	Stalingrad pl. de	
		nos impairs	10
		nos pairs	19
42	L12 S	Stanislas r.	6
24	G23 N	Stanislas-Meunier r.	20
10	B19	Station sentier de la	19
19	D14	Steinkerque r. de	18
7	C13	Steinlen r.	18
21	F18-E18	Stemler cité	19
35	H22	Stendhal pass.	20
35	H22	Stendhal r.	20
35	H22	Stendhal villa	20
4	C7-D7	Stéphane-Mallarmé av.	17
44	N16 S	Stéphen-Pichon av.	13
8	D16-C16	Stephenson r.	18
57	P17	Sthrau r.	13
46	L20	Stinville pass.	12
18	E11 S	Stockholm r. de	8
20	G15-E16	Strasbourg bd de	18
4	D7 N	Stuart-Merrill pl.	17
26-38	H4-K3	Suchet bd	16
22	D19	Sud pass. du	19
35	J22 N	Suez imp.	20
8	C15 S	Suez r. de	18
28-41	J7-L9	de Suffren av.	
		nos 1-143 bis	7
		nos 145-fin, nos pairs	15
28	J7	de Suffren port	7-15
31	K14 N	Suger r.	6
53	N10-P10	Suisses r. des	14
32-44	K16	Sully pont de	4-5
33	K17	de Sully r.	4
29	H9	Sully-Prudhomme av.	7
29	H9	Surcouf r.	7
18	F11 S	Surène r. de	8
23	G22-F22	Surmelin pass. du	20
23-24	G22-F23	Surmelin r. du	20
37	L1 N	Suzanne-Lenglen r.	16
19	D14	Suzanne-Valadon pl.	18
26-38	K3	Sycomores av. des	16

t

32	J15	Tacherie r. de la	4
23	F21 S	Taclet r.	20
56	R16	Tage r. du	13
23	F21 N	Taillade av.	20
33	J18 S	Taillandiers pass. des	11
33	J18 S	Taillandiers r. des	11
47	K21	Taillebourg av. de	11
46-47	M20-21	Taine r.	12
19	F13-E13	Taitbout r.	9
47	M21-22	Taïti r. de	12
29	J10 N	de Talleyrand r.	7
27	J5 N	Talma r.	16
6-7	B12-B13	Talus cité du	18
7	B13 N	Talus imp. du	18
10	D19 N	Tandou r.	19
9	D17-C18	Tanger r.	19
43	N14	Tanneries r. des	13
5	D10-C10	Tarbé r.	17
19	D14	Tardieu r.	18
4	C8	Tarn sq. du	17
26-27	H4-H5	Tattegrain pl.	16
20	G16-F16	Taylor r.	10
17	E10	Téhéran r. de	8
23	F21	Télégraphe pass. du	20
23	F22-F21	Télégraphe r. du	20
33	H17-G17	Temple bd du	
		nos impairs	3
		nos pairs	11
32-33	J15-G17	Temple r. du	
		nos 1-63, 2-58	4
		nos 65-fin, 60-fin	3
42	N12	Tenaille pass.	14
6	B12	Tennis r. des	18
33	H18-G18	Ternaux r.	11
16-15	E8-E6	Ternes av. des	17
16	E8	Ternes pl. des	
		nos impairs, no 6	17
		nos pairs (sauf le 6)	8
15	E6	Ternes porte des	17
16	E7-D7	Ternes r. des	17
16	D7	Ternes villa des	17
21-20	E17-E16	Terrage r. du	10
17	D10	Terrasse imp. de la	17
17	D10 N	Terrasse r. de la	17
35	J21-J22	Terre-Neuve r. de	20
57	R18 N	Terres-au-Curé r. des	13
7	C14 S	Tertre imp. du	18
7	D14 N	Tertre pl. du	18
41	M9	Tessier r.	15
21	F18 S	Tesson r.	10
42	M11-N11	Texel r. du	14
17	E9-D10	Thann r. de	17
39-40	K6-L8	Théâtre r. du	15
31-43	K14	Thénard r.	5
16	D8 S	Théodore-de-Banville r.	17
40	M7 S	Théodore-Deck r.	15
40	M7 S	Théodore-Deck prolongée r.	15
40	M7 S	Théodore-Deck villa	15
47	N21	Théodore-Hamont r.	12
40	K8 S	Théodore-Judlin sq.	15
38	L4 N	Théodore-Rivière pl.	16
26	J4 S	Théodore-Rousseau av.	16
16	E8	Théodule-Ribot r.	17
27-38	K5-K4	Théophile-Gautier av.	16

Nos	Grille	Rue	Arr.
38	K4-L4	Théophile-Gautier sq.	16
16-45	K19-K18	Théophile-Roussel r.	12
40	L8-M8	Théophraste-Renaudot r.	15
31	G13	Thérèse r.	1
42-54	N11 S	Thermopyles r. des	14
54	P12 N	Thibaud r.	14
41	N9 N	Thiboumery r.	15
33	K18-J18	Thiéré pass.	11
27	G5	Thiers r.	16
27	G5	Thiers sq.	16
4	C8 S	Thimerais sq. du	17
20-19	E15-E14	Thimonnier r.	9
40	C19 S	Thionville pass. de	19
40	C19-C20	Thionville r. de	19
7	D13-C13	Tholozé r.	18
56	S15 N	Thomire r.	13
26	G15-F15	Thorel r.	2
39	M6 S	Thoréton villa	15
33	H17 S	de Thorigny pl.	3
33	H17 S	de Thorigny r.	3
44	L15	Thouin r.	5
40	L8	Thuré cité	15
52	P7 N	Thureau-Dangin r.	15
56	R16	Tibre r. du	13
26-38	K3	Tilleuls av. des	16
16	F8-F7	Tilsitt r. de	
		nos 1-5, 2-14	8
		nos 7-11, 16-34	17
40	K8 S	Tiphaine r.	15
32-31	G15-G14	Tiquetonne r.	2
32	J16	Tiron r.	4
39	M6	Tisserand r.	15
44	N16 N	Titien r.	13
34	K20	Titon r.	11
34	G20	Tlemcen r. de	20
17-5	D10-C9	de Tocqueville r.	17
5	C9 S	de Tocqueville sq.	17
35	K22	Tolain r.	20
46	N19	Tolbiac pont de	12-13
58	P20-N19	Tolbiac port de	13
58-55	N19-P14	Tolbiac r. de	13
26	K3 N	Tolstoï sq.	16
55-54	N13-R12	Tombe-Issoire r. de la	14
20	D16	Tombouctou r. de	18
8	C16 N	de Torcy pl.	18
9-8	C17-C16	de Torcy r.	18
16	E7-D7	Torricelli r.	17
47	M22	Toul r. de	12
43	L14 N	Toullier r.	5
11	D21 N	Toulouse r. de	19
	A12	Toulouse-Lautrec r.	17
27	H6-H5	Tour r. de la	16
27	H5 N	Tour villa de la	16
9	E13	Tour-des-Dames r. de la	9
42	N11	Tour-de-Vanves pass.	14
23	F22 N	Tourelles pass. des	20
23	F22 N	Tourelles r. des	20
	C13 S	Tourlaque r.	18
44	L15 S	Tournefort r.	5
42-44	K16	Tournelle pont de la	4-5
42-44	K16-K15	Tournelle port de la	5
42-44	K16-K15	Tournelle quai de la	5
33	J17	Tournelles r. des	
		nos 1-29, 2-44	4
		nos 31-fin, 46-fin	3
47	M21 S	Tourneux imp.	12
47	M21 S	Tourneux r.	12
31-43	K13	Tournon r. de	6
40	L7 N	Tournus r.	15
22	F19	Tourtille r. de	20
29	J10-J9	de Tourville av.	7
56	P16 S	Toussaint-Féron r.	13
31	K13 N	Toustain r.	6
20	G15	de Tracy r.	2
8	B15	Traëger cité	18
16	F7	Traktir r. de	16
22	F20	Transvaal r. du	20
45	L17-K18	Traversière r.	12
17	E10 S	Treilhard r.	8
32	J16	Trésor r. du	4
7	C14-B14	de Trétaigne r.	18
19	F14-E14	de Trévise cité	9
19	F14-E14	de Trévise r.	9
32	G15 S	Trinité pass. de la	2
18	E12	Trinité r. de la	9
16	E7	Tristan-Bernard pl.	17
27-28	H6-H7	Trocadéro et Onze-Novembre pl. du	16
27	H6	Trocadéro sq. du	16
21-33	G18	Trois-Bornes cité des	11
21-33	G18	Trois-Bornes r. des	11
21-33	G18	Trois-Couronnes r. des	11
33	K18 N	Trois-Frères cour des	11
19	D14-D13	Trois-Frères r. des	18
32	K15	Trois-Portes r. des	5
33	J18 N	Trois-Sœurs imp. des	11
18	F12	Tronchet r.	
		nos impairs, 2-26	8
		nos 28-fin	9
47	K21 S	Trône av. du nos impairs	11
		nos pairs	12
47	K21 S	Trône pass. du	11
18	F11	Tronson-du-Coudray r.	8
34	K19	Trousseau r.	11
16	E8 S	Troyon r.	17
56	R15 N	Trubert-Bellier pass.	13
19	D14-E14	Trudaine av.	9
19	E14	Trudaine sq.	9
6-5	D11-C10	Truffaut r.	17
33	H18	Truillot imp.	11
30	H12-H11	Tuileries port des	1
31-30	H13-H11	Tuileries quai des	1
7	B14 N	Tulipes villa des	18
35-47	K21	Tunis r. de	11
22	E20-E19	Tunnel r. du	19
31-32	H14-G16	Turbigo r. de	
		nos 1-11, 2-14	1
		nos 13-31, 16-24	2
		nos 33-fin, 26-fin	3
33	J17-H17	de Turenne r.	
		nos 1-27, 2-22	4
		nos 29-fin, 24-fin	3
19	E14-D14	Turgot r.	9
18	E12-D11	Turin r. de	8
35	K21	Turquetil pass.	11

Les rues de Paris sont numérotées par rapport à la Seine : la maison nº 1 est la plus proche du fleuve lorsque la rue s'en écarte, en amont lorsqu'elle lui est parallèle.

Numéros impairs à gauche, numéros pairs à droite.

43	L14-M14	Ulm r. d'	5
57	P18 *N*	Ulysse-Trélat r.	13
29	J9	Union pass. de l'	7
16-28	G7	Union sq. de l'	16
30-28	J12-H8	Université r. de l'	7
26-38	K3	d'Urfé sq.	1..
32	J15 *S*	Ursins r. des	..
43	L14 *S*	Ursulines r. des	..
16	G8 *N*	Uruguay pl. de l'	1..
19	F14 *S*	d'Uzès r.	..

29	J9	Valadon r.	7
43	M14-M13	Val-de-Grâce r. du	5
56-55	S15-S14	Val-de-Marne r. du	13
44	M15 *S*	Valence r. de	5
20	E15	Valenciennes pl. de	10
20	E16	Valenciennes r. de	10
41	L10-L9	Valentin-Haüy r.	15
43	K14-L14	Valette r.	5
45	L17	Valhubert pl. nos 1, 2 et 3	13
		nos 5-21 et 4	5
47	N21	Vallée-de-Fécamp r.	12
44	N16	Vallet pass.	13
30	J12	Valmy imp. de	7
21	G17-D17	Valmy quai de	10
17	E10 *N*	de Valois av.	8
31	G13 *S*	de Valois galerie	1
31	H13 *N*	de Valois pl.	1
31	H13-G13	de Valois r.	1
42	M11	Vandamme r.	14
56	P15 *S*	Vandrezanne pass.	13
56	P16-P15	Vandrezanne r.	13
17	E9	Van-Dyck av.	8
30	J11 *S*	Vaneau cité	7
30-42	J11-K11	Vaneau r.	7
45	L18	Van-Gogh r.	13
38	M4 *N*	Van-Loo r.	16
42	N11 *N*	Vanves pass. de	14
53	P9	Vanves porte de	14
47	N22	Van-Vollenhoven sq.	12
48	K23 *S*	Var sq. du	20
30	J11 *S*	Varenne cité de	7
30-29	K12-J10	Varenne r. de	7
39	M6	Varet r.	15
19	F14 *S*	Variétés galerie des	2
38-37	M3-L2	Varize r. de	16
28	H7 *S*	Varsovie pl. de	16
39	M6-N6	Vasco-de-Gama r.	15
48	L23 *N*	Vassou imp.	12
29	J10 *S*	Vauban pl.	7
32	G16	Vaucanson r.	3
4	C8	Vaucluse sq. de	17
22-21	G19-F18	Vaucouleurs r. de	11
22	D20	Vaudremer r.	19
40	N7	Vaugelas r.	15
42-41	M11-N10	Vaugirard bd de	15
43-40	K14-N7	Vaugirard r. de	
		nos 1-111, 2-132	6
		nos 113-fin, 134-fin	15
44-43	M15-M14	Vauquelin r.	5
7-6	C13-B12	Vauvenargues r.	18
6	B12 *N*	Vauvenargues villa	18
31	H14	Vauvilliers r.	
43	L13	Vavin av.	
42	L12	Vavin r.	
47	M22	Vega r. de la	1
17	E10 *N*	Velasquez av.	
57	R18	Velay sq. du	1
30	K12	Velpeau r.	
47	N22	Vendée sq. de la	1
30	G12	Vendôme cour	
33	G17	Vendôme pass.	
18-30	G12	Vendôme pl.	
57	R17	Vénétie pl. de	1
15	F6	Venezuela pl. du	1
32	H15	Venise r. de	
31	G13	de Ventadour r.	
35	J21 *S*	Véran imp.	2
42-53	M11-P9	Vercingétorix r.	1
19	F14	Verdeau pass.	
38	L4 *N*	Verderet r.	1
27	H5 *S*	Verdi r.	1
20-21	E16-E17	Verdun av. de	1
10	C19 *S*	Verdun imp. de	1
15	E6	Verdun pl. de	1
20-21	E16-E17	Verdun sq. de	1
40-41	M8-M9	Vergennes r.	1
55	P14-R14	Vergniaud r.	1
43	N13	Verhaeren allée	1
31	H13 *N*	Vérité pass.	1
38	D21	Vermandois sq. du	1
44	M15 *N*	Vermenouze sq.	
16	F8 *S*	Vernet r.	
30	J12 *N*	de Verneuil r.	
16	D7	Vernier r.	1
4	C8 *S*	Verniquet r.	1
31	H14	Véro-Dodat galerie	
18	D12	Véron cité	1
19	D13	Véron r.	1
44	N16-N15	Véronèse r.	1
32	J16-J15	Verrerie r. de la	
39-38	K5-M3	Versailles av. de	1
40	N7	Versailles porte de	1
7	B14	Versigny r.	
32	G16	Vertbois r. du	
33	H18-H17	Verte allée	1
32	H16-G16	Vertus r. des	
15-16	E6-D7	de Verzy av.	1
44	M15 *S*	Vésale r.	
23	D21 *S*	Vexin sq. du	1
17	E10	Vézelay r. de	
28-40	K7	Viala r.	1
34	J19	Viallet pass.	1

31	H14 N	**Viarmes r. de**	1
40	N7	**Vichy r. de**	15
21	E17-E18	**Vicq-d'Azir r.**	10
19-18	F14-F12	**Victoire r. de la**	9
31	G14 S	**Victoires pl. des**	
		nos 1-7, 2-4	1
		nos 9-fin, 6-fin	2
38-39	M4-N6	**Victor bd**	15
54	P12	**Victor-Basch pl.**	14
47	M22 N	**Victor-Chevreuil r.**	12
42	N12 N	**Victor-Considérant r.**	14
43	K14-L14	**Victor-Cousin r.**	5
36	G23	**Victor-Dejeante r.**	20
40	M8-N8	**Victor-Duruy r.**	15
53	P9 N	**Victor-Galland r.**	15
34	G19 S	**Victor-Gelez r.**	11
16-27	F7-G5	**Victor-Hugo av.**	16
15	G6 N	**Victor-Hugo pl.**	16
15-27	G5	**Victor-Hugo villa**	16
42-31	J15-J14	**Victoria av.**	
		nos 1-15, 2-10	4
		nos 17-fin, 12-fin	1
48	L4 S	**Victorien-Sardou r.**	16
48	L4 S	**Victorien-Sardou sq.**	16
48	L4 S	**Victorien-Sardou villa**	16
44	G20	**Victor-Letalle r.**	20
45	P14	**Victor-Marchand pass.**	13
9	E14-E13	**Victor-Massé r.**	9
24	G23 N	**Vidal-de-la-Blache r.**	20
31	G14 S	**Vide-Gousset r.**	2
42-33	J16-H17	**Vieille-du-Temple r.**	
		nos 1-69, 2-52	4
		nos 71-fin, 54-fin	3
8	E11	**Vienne r. de**	8
19	J9	**Vierge pass. de la**	7
7	D9	**Viète r.**	17
1-30	K13-K12	**Vieux-Colombier r. du**	6
1	M10	**Vigée-Lebrun r.**	15
17	J5	**Vignes r. des**	16
5	J22	**Vignoles imp. des**	20
5	K21-J22	**Vignoles r. des**	20
8	F12 S	**Vignon r.**	
		nos impairs	8
		nos pairs	9
3	K18 N	**Viguès cour**	11
2	F19-F20	**Vilin r.**	20
8	L4 S	**Villa Réunion gde av.**	16
3	N9 S	**Villafranca r. de**	15
16	E7 S	**Villaret-de-Joyeuse r.**	17
16	E7 S	**Villaret-de-Joyeuse sq.**	17
9	K10 N	**de Villars av.**	7
16	E7	**Villebois-Mareuil r.**	17
1	G13	**Villedo r.**	1
3	J17-H17	**Villehardouin r.**	3
8	F11 S	**Ville-l'Evêque r. de la**	8
3	N10 S	**Villemain av.**	14
40	G15-F15	**Ville-Neuve r. de la**	2
40	J11 N	**Villersexel r. de**	7
21	F18-D17	**Villette bd de la**	
		nos impairs	10
		nos pairs	19
10	A20	**Villette porte de la**	19
22	F20-E20	**Villette r. de la**	19
17-16	D10-D7	**Villiers av. de**	17
15	D7	**Villiers porte de**	17
23	G21 N	**Villiers-de-l'Isle-Adam imp.**	20
23-25	G21-G22	**Villiers-de-l'Isle-Adam r.**	20
45	M18 N	**Villiot r.**	12
21-20	F17-F16	**Vinaigriers r. des**	10
47-48	K22-L23	**Vincennes cours de**	
		nos impairs	20
		nos pairs	12
48	L23-L24	**Vincennes porte de**	12-20
45-44	M18-N16	**Vincent-Auriol bd**	13
7	B13	**Vincent-Compoint r.**	18
48	L23	**Vincent-d'Indy av.**	12
18	G12 N	**Vindé cité**	1
27	H6 S	**Vineuse r.**	16
54	R12-R11	**Vingt-Cinq-Août-1944 pl.**	14
30	G12 S	**Vingt-neuf-Juillet r. du**	1
18	D12 S	**Vintimille r. de**	9
40	L7	**Violet pl.**	15
40	K7-L7	**Violet r.**	15
40	L7	**Violet villa**	15
19	D14 S	**Viollet-le-Duc r.**	9
26	J4	**Vion-Whitcomb av.**	16
54	R12 N	**Virginie villa**	14
40	L8 S	**Viroflay r. de**	15
31	J13	**Visconti r.**	6
30	J11	**Visitation pass. de la**	7
56	R16	**Vistule r. de la**	13
27	H6-J5	**Vital r.**	16
35	J22-H22	**Vitruve r.**	20
36	H23	**Vitruve sq.**	20
57-58	R18-R19	**Vitry porte de**	13
16	D7	**Vivarais sq. du**	17
31	G13	**Vivienne galerie**	2
19-31	G13-F14	**Vivienne r.** nº 1	1
		nos pairs, nos 3-fin	2
36	K23 N	**Volga imp. du**	20
35-36	K22-K23	**Volga r. du**	20
18	G12 N	**Volney r.**	2
41	L9-M9	**Volontaires r. des**	15
32	G16 S	**Volta r.**	3
33-35	G17-K21	**Voltaire bd**	11
34	K20 N	**Voltaire cité**	11
38	L3 S	**Voltaire imp.**	16
31-30	J13-H12	**Voltaire quai**	7
34	K20 N	**Voltaire r.**	11
55	R14	**Volubilis r. des**	13
33	J17	**Vosges pl. des**	
		nos 1-19, 2-22	4
		nos 21-fin, 24-fin	3
41	N9	**Vouillé r. de**	15
35	G21 S	**Voulzie r. de la**	20
48	L23 N	**Voûte pass. de la**	12
47-48	L22-L23	**Voûte r. de la**	12
55	N14 S	**Vulpian r.**	13

W

16-5	F8-D9	Wagram av. de		9	B18	Wattieaux pass.	19
		nᵒˢ impairs, nᵒˢ 48-fin	17	47	N21	Wattignies imp.	1
		nᵒˢ 2-46	8	46-47	M20-N22	Wattignies r. de	1
5	C9 *S*	Wagram pl. de	17	21	G17 *N*	Wauxhall cité du	1
16	E8 *S*	Wagram-St-Honoré villa	8	15	F6 *N*	Weber r.	1
15	E6 *N*	Waldeck-Rousseau r.	17	35	G21 *S*	Westermann r.	2
44	M16 *S*	Wallons r. des	13	53	P9 *S*	Wilfrid-Laurier r.	1
16-17	F8-F9	Washington r.	8	38	L4	Wilhem r.	1
41	M9-M10	Wassily-Kandinsky pl.	15	29	G10	Winston-Churchill av.	
58	P19	Watt r.	13	55	P14 *S*	Wurtz r.	1
44	N16 *N*	Watteau r.	13				

x - y

57	P18-P17	Xaintrailles r.	13	21	G17-F17	Yves-Toudic r.	1
31	K14 *N*	Xavier-Privas r.	5	26	K4-J4	Yvette r. de l'	1
57-56	N17-N16	Yéo-Thomas r.	13	16	E7 *S*	Yvon-Morandat pl.	1
16-15	D7-D6	Yser bd de l'	17				
40-41	M8-M9	Yvart r.	15	19	D14-D13	Yvonne-Le-Tac r.	1
16	D7 *S*	Yves-du-Manoir av.	17	16	G7 *N*	Yvon-Villarceau r.	1

LÉGENDE

SIGNES CONVENTIONNELS

Voirie

Autoroute, boulevard périphérique . . . .

Rue en construction, interdite ou impraticable . . . .

Rue à sens unique, en escalier . . . .

Allée dans parc et cimetière - Rue piétonne . . . .

Chemin de fer, métro aérien . . . .

Passage sous voûte, tunnel . . . .

Bâtiments (avec entrée principale)

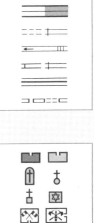

Repère important - Autre bâtiment repère . . . .

Culte catholique ou orthodoxe . . . .

Culte protestant - Synagogue . . . .

Caserne - Caserne de Sapeurs-Pompiers . . . .

Hôpital, hospice - Marché couvert . . . .

Bureau de poste - Commissariat de police . . . .

Sports et Loisirs

Piscine de plein air, couverte . . . .

Patinoire . . . .

Stade - Stade olympique - Terrain d'éducation physique . . . .

Centre hippique - Hippodrome . . . .

Aviron - Canoë-kayak - Ski nautique . . . .

Motonautisme - Club de voile . . . .

Signes divers

Monument - Fontaine - Usine . . . .

Station taxi - Station de métro . . . .

Parking avec entrée . . . .

Station-service ouverte nuit et jour . . . .

Numéro d'immeuble . . . .

Limite de Paris et de département . . . .

Limite d'arrondissement et de commune . . . .

Repère du carroyage . . . .

Repère commun à la carte Michelin n° 101 . . . .

Pl. Pa. 4

CONVENTIONAL SIGNS

Roads and railways

. . . . Motorway, ring road

. . . . . Street under construction, No entry - unsuitable for traffic

. . . . One-way street - Stepped street - Pedestrian street

. . . . Arch, tunnel

Buildings (with main entrance)

. . . . Reference point : large building, other building

. . . . . Catholic or orthodox church - Protestant church - Synagogue

. . . . Barracks - Police station - Fire station

. . . . . Hospital, old people's home - Post office - Covered market

Sports - Leisure activities

. . . . Outdoor, indoor swimming pool - Skating rink

. . . . Olympic Stadium - Sports ground

Miscellaneous

. . . . . Monument - Fountain - Factory - House no. in street

. . . . Main taxi ranks - Metro station

. . . . . Car park showing entrance - 24 hour petrol station

. . . . Paris limits ; adjoining department

. . . . « Arrondissement » and « commune » boundaries

. . . . Map grid reference number

. . . . Reference no. common to Michelin map no. **10**

(Secteur en travaux) : Work in progress

ZEICHENERKLÄRUNG

Verkehrswege

. . . . Autobahn - Stadtautobahn

. . . . . . Straße im Bau - für Kfz gesperrt, nicht befahrbar

. . . . Einbahnstraße - Treppenstraße - Fußgängerstraße

. . . . Gewölbedurchgang - Tunnel

Gebäude (mit Haupteingang)

. . . . Wichtiger Orientierungspunkt - Sonstiger Orientierungspunkt

. . . Katholische oder orthodoxe Kirche - Evangelische Kirche - Synagoge

. . . . Kaserne - Polizeirevier - Feuerwehr

. . . . Krankenhaus, Altersheim - Postamt - Markthalle

Sport - Freizeit

. . . . Freibad - Hallenbad - Schlittschuhbahn

. . . . Olympianormen entsprechendes Stadion - Sportplatz

Verschiedene Zeichen

. . . . . . Denkmal - Brunnen - Fabrik - Hausnummer

. . . . Größere Taxistation - Metrostation

. . . . Parkplatz und Einfahrt - Tag und Nacht geöffnete Tankstelle

. . . . Grenze : Pariser Stadtgebiet u. Departement

. . . . Arrondissement und Vorortgemeinde

. . . . Nr. des Planquadrate

. . . Referenz-Zeichen für die Michelin-Karte Nr. **10**

(Secteur en travaux) : Das Viertel wird neugestaltet

SIGNOS CONVENCIONALES

Vías de circulación

Autopista, autovía de circunvalación . . . .
Calle en construcción, prohibida, impracticable . . . .
Calle de sentido único, con escalera - Calle peatonal . . . .
Paso abovedado, túnel . . . .

Edificios (y entrada principal)

Gran edificio, punto de referencia - Otro edificio, punto de refencia . . . . . .
Iglesia católica u ortodoxa - Culto protestante - Sinagoga . . . .
Cuartel - Comisaría de Policía - Parque de Bomberos . . . .
Hospital, hospicio - Oficina de Correos - Mercado cubierto . . . .

Deportes y Distracciones

Piscina al aire libre, cubierta - Pista de patinaje . . . .
Estadio olímpico - Terreno de educación física . . . .

Signos diversos

Monumento - Fuente - Fábrica - Número del edificio . . . .
Estación principal de taxis - Boca de metro . . . .
Aparcamiento y entrada - Estación de servicio abierta día y noche . . . .
Límite de París departamento . . . .
Límite de distrito o de municipio . . . .

Referencia de la cuadrícula del plano . . . .
Referencia común al mapa Michelin No. 101 . . . .
(Secteur en travaux) : Sector en obras

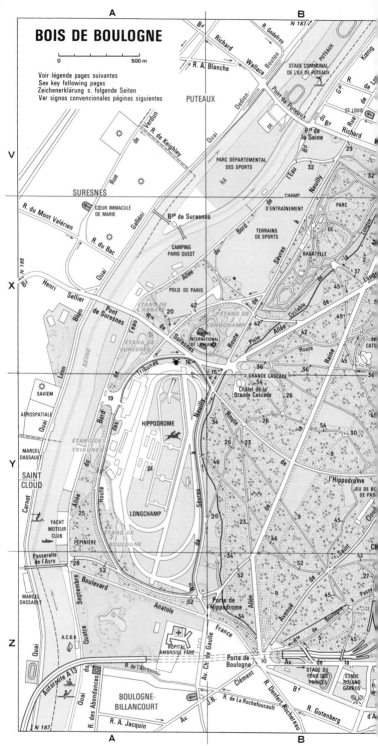

BOIS DE BOULOGNE

0   500 m

Voir légende pages suivantes
See key following pages
Zeichenerklärung s. folgende Seiten
Ver signos convencionales páginas siguientes

PUTEAUX

SURESNES

CŒUR IMMACULÉ
DE MARIE

R. du Mont Valérien

R. du Bac

Bd Henri Sellier

SAVIEM

AÉROSPATIALE

MARCEL
DASSAULT

SAINT
CLOUD

YACHT
MOTEUR
CLUB

MARCEL
DASSAULT

Passerelle
de l'Avre

A.C.B.B.

HOPITAL
AMBROISE PARÉ

BOULOGNE-
BILLANCOURT

R. A. Jacquin

R. de l'Abreuvoir

Autoroute A13

R. des Abondances

STADE COMMUNAL
DE L'ÎLE DE PUTEAUX

ST LOUIS

PARC DÉPARTEMENTAL
DES SPORTS

CHAMP
D'ENTRAÎNEMENT

TERRAINS
DE SPORTS

PARC

DE

BAGATELLE

CAMPING
PARIS OUEST

POLO DE PARIS

ÉTANG DE
L'ABBAYE

ÉTANG DE
LONGCHAMP

CENTRE
INTERNATIONAL
DE L'ENFANCE

ÉTANG DE
SURESNES

Pont de Suresnes

Tribunes

GRANDE CASCADE

Châlet de la
Grande Cascade

HIPPODROME

DE

LONGCHAMP

ÉTANG DES
TRIBUNES

ÉTANG DE
BOULOGNE

PÉPINIÈRE

Boulevard

Anatole

France

Porte de
l'Hippodrome

l'Hippodrome

JEU DE BO
DE PAS

Avenue

de

Boulogne

Porte de
Boulogne

Av. Ch. de Gaulle

STADE DU
FOND DES
PRINCES

STADE
ROLAND
GARROS

R. De La Rochefoucauld

R. Gutenberg

R. Denfert-Rochereau

Carrefour de Norvège	AX 16
Carrefour de la Porte de Madrid	CV 17
Carrefour des Sablons	DV 18
Carrefour des Tribunes	AY 19
Chemin de l'Abbaye	AX 20
Chemin de Ceinture du Lac Inf.	CXY
Chemin de Ceinture du Lac Sup.	CY 21
Chemin de la Croix Catelan	CY 22
Chemin des Gravilliers	BY 23
Chemin du Pavillon d'Armenonville	DV 24
Chemin des Pépinières	AY 25
Chemin des Réservoirs	ABY 26
Chemin des Vieux Chênes	BZ 27
Grille de Saint Cloud	AZ 28
Piste cyclable de la Longue Queue	BVX
Piste cyclable de Madrid à Neuilly	CV
Porte de Bagatelle	BV 29
Rond des Mélèzes	BY 30
Route d'Auteuil aux Lacs	BCZ 31
Route de Boulogne à Passy	BZ
Route du Champ d'Entraînement	BY 32
Route des Erables	CV 33
Route de l'Espérance	BXY 34
Route de l'Etoile	CDV 35
Route de la Grande Cascade	BCX 36
Route de l'Hippodrome	BCY
Route des Lacs à Bagatelle	BX 37
Route des Lacs à Madrid	CVX 38
Route des Lacs à Passy	CY 39
Route des Lacs à la Porte des Sablons	DVX 40
Route de Longchamp au Bout des Lacs	CX 41
Route du Mahatma Gandhi	CDV
Route des Moulins	ABX 42
Route de la Muette à Neuilly	CVX 43
Route des Pins	CY 44
Rte du Point du Jour à Bagatelle	BXYZ 45
Rte du Point du Jour à Suresnes	BY 46
Route de la Porte Dauphine à la Porte des Sablons	DV 47
Route de la Porte des Sablons à la Porte Maillot	DV 48
Route de la Porte Saint James	CV 49
Route du Pré Catelan	CX 50
Route Sablonneuse	CVX 51
Route de la Seine à la Butte Mortemart	ABZ 52
Route de Sèvres à Neuilly	AZ, BV
Route de Suresnes	ABX, DX
Route des Tribunes	AXY
Route de la Vierge aux Berceaux	BY 54

Allée du Bord de l'Eau	AY, BV
Allée des Bouleaux	BX, CV 2
Allée des Dames	CY
Allée des Fortifications	CYZ 4
Allée Fortunée	BZ, DV 5
Allée des Lacs à la Pte Dauphine	CDV 6
Allée de Longchamp	BX, DV
Allée des Marronniers	CV 7
Allée des Poteaux	DX 8
Allée de la Reine Marguerite	BXYZ
Allée Saint Denis	BZ, DV 9
Avenue de la Porte d'Auteuil	BCZ
Avenue de Saint Cloud	BZ, CY
Boulevard Anatole France	ABZ
Butte Mortemart	CZ
Carrefour des Anciens Combattants	BZ 10
Carrefour du Bout des Lacs	CX 12
Carrefour des Cascades	CY 13
Carrefour de la Croix Catelan	CX 14
Carrefour de Longchamp	BX 15

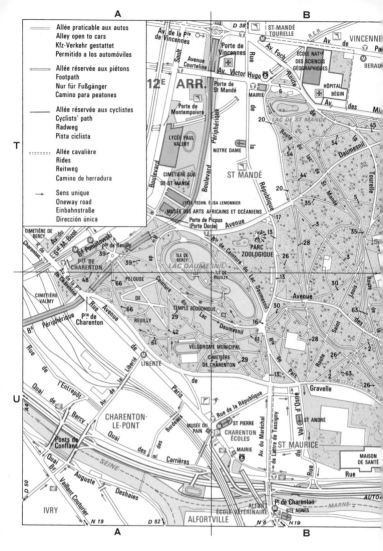

Map legend:

═══	Allée praticable aux autos / Alley open to cars / Kfz-Verkehr gestattet / Permitido a los automóviles	
╪╪╪	Allée réservée aux piétons / Footpath / Nur für Fußgänger / Camino para peatones	
───	Allée réservée aux cyclistes / Cyclists' path / Radweg / Pista ciclista	
┅┅┅	Allée cavalière / Rides / Reitweg / Camino de herradura	
→	Sens unique / Oneway road / Einbahnstraße / Dirección única	

Allée des Buttes	BU	2
Allée des Lapins	BT	3
Allée des Quatre Carrefours	CU	4
Allée Royale	BT	5
Avenue du Bel Air	BT	6
Avenue de la Belle Gabrielle	DTU	
Avenue des Canadiens	DU	7
Avenue de la Dame Blanche	CDT	8
Avenue Daumesnil	BT	
Avenue de Fontenay	DT	
Avenue de Gravelle	ABCDU	
Avenue des Minimes	BCT	
Avenue de Nogent	CDT	
Avenue de la Pépinière	CT	10
Avenue de Polygone	BT	12
Avenue de Saint Maurice	BTU	13
Avenue des Tilleuls	DT	14
Avenue du Tremblay	CT, DU	
Avenue des Tribunes	BCU	
Carrefour de Beauté	DU	15
Carrefour de la Conservation	BU	16
Carrefour de la Demi Lune	BT	17
Carrefour de la Patte d'Oie	CU	
Carrefour des Sabotiers	CT	
Chaussée de l'Etang	BT	
Cours des Maréchaux	CT	
Esplanade du Château	CT	
Porte Jaune	D	
Rond Point de la Belle Etoile	CU	
Rond Point Dauphine	CT	
Rond Point Mortemart	DU	
Rond Point de la Pyramide	CT	
Route Aimable	BTU	
Route de l'Asile National	BTU	
Route du Bac	ABU	
Route des Batteries	BU	
Route de la Belle Etoile	CU	
Route du Bosquet Mortemart	DU	
Route des Bosquets	DT	
Route de Bourbon	CTU	
Route Brûlée	BT	
Route de la Cascade	DT	
Route de la Cavalerie	CT	
Route de la Ceinture du Lac Daumesnil	ABTU	

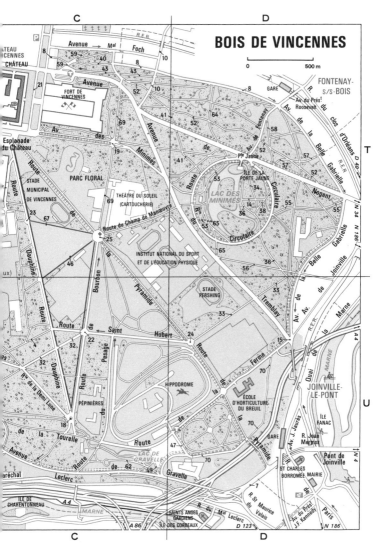

BOIS DE VINCENNES

0   500 m

du Champ de Manœuvre	CT	
des Chênes	DT	38
Circulaire	DT	
de la Croix Rouge	AT	39
de la Dame Blanche	CT	40
des Dames	CDT	41
Dauphine	CTU	
de la Demi Lune	CU	
Dom Pérignon	AU	42
du Donjon	CT	43
de l'Épine	BT	44
de l'Esplanade	BT	45
de la Faluère (Piste cyclable)	CT	46
de la Ferme	CDU	
du Fort de Gravelle	DU	47
des Fortifications	ATU	48
de la Gerbe	CU	49
du Grand Maréchal	CDT	52
du Grand Prieur	DT	53
du Lac de Saint Mandé	BT	
Lemoine	BT	54
de la Ménagerie	DT	55
Route des Merisiers	DT	56
Route Odette	DT	57
Route du Parc	BU	
Route des Pelouses	DT	58
Route des Pelouses Marigny	CT	59
Route du Pesage	CU	
Route de la Plaine	ABU	61
Route du Point de Vue	CU	62
Route de la Pompadour	BU	63
Route de la Porte Jaune	DT	64
Route de la Porte Noire	DT	65
Route de la Pyramide	CD, TU	
Route de Reuilly	AU	66
Route Royale de Beauté		
(Piste cyclable)	CT	67
Route du Ruisseau	BU	68
Route des Sabotiers	CT	69
Route Saint Hubert	CU	
Route Saint Louis	BU	
Route Stratégique	DU	70
Route		
de la Tourelle	BT, CU	

Tableau d'assemblage
Grands axes de circulation

Layout diagram
Main traffic arteries

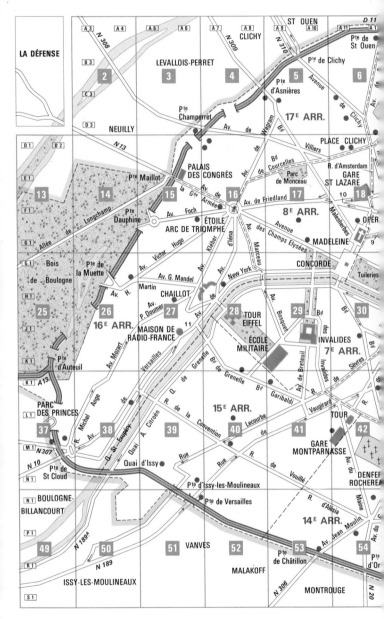

LA DÉFENSE

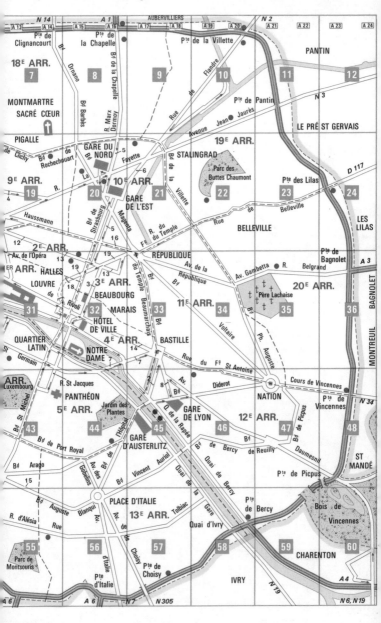

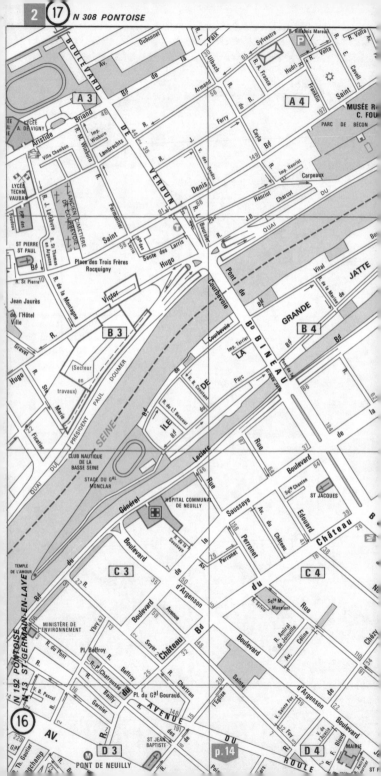

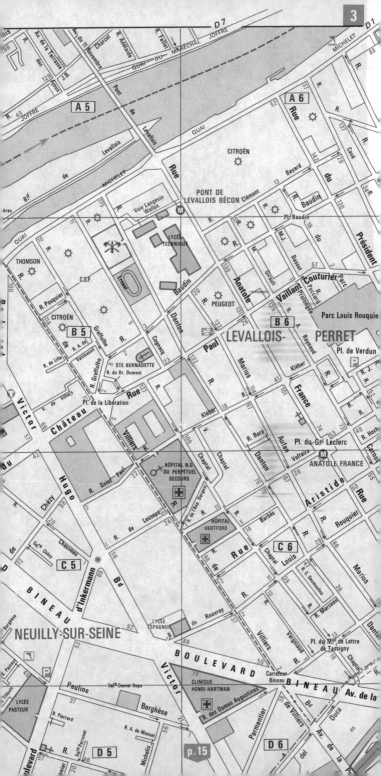

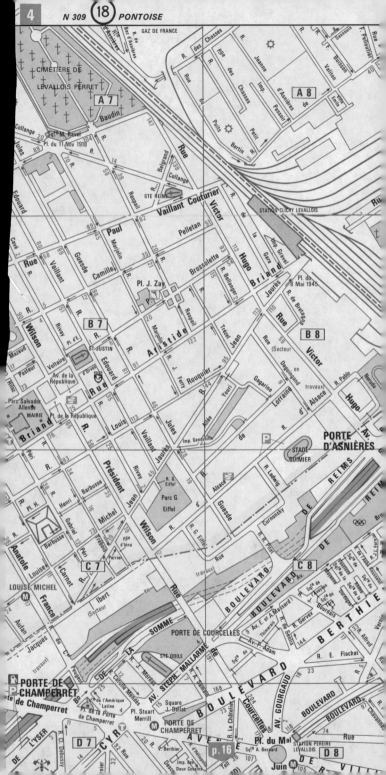

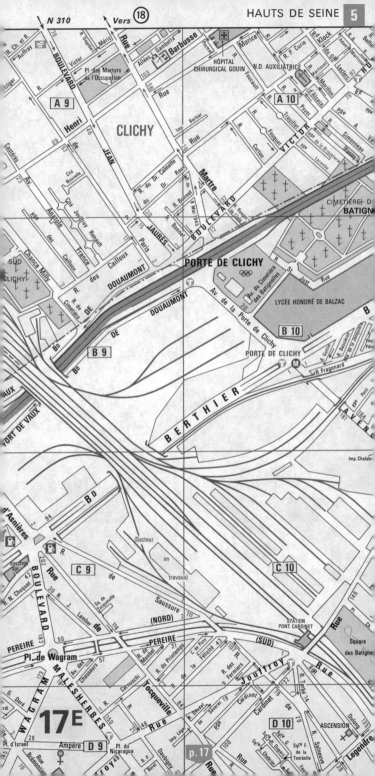

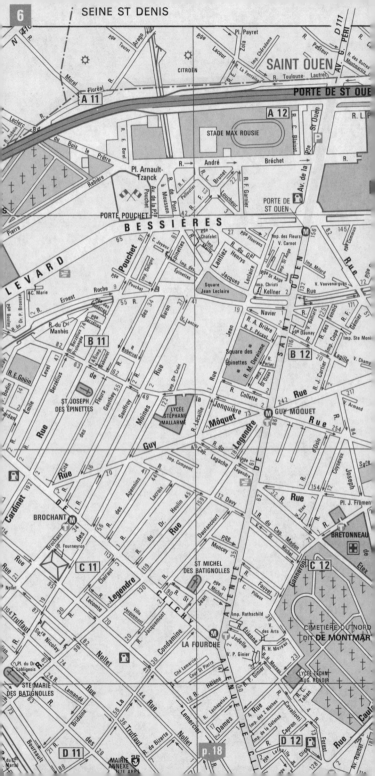

SAINT OUEN

PORTE DE ST OUE

A 11

A 12

STADE MAX ROUSIE

PORTE DE
ST OUEN

PORTE POUCHET

Pl. Arnault-
Tzanck

B E S S I È R E S

L E V A R D

Square
Jean Leclaire

B 11

B 12

St JOSEPH
DES ÉPINETTES

Square des
Épinettes

GUY MOQUET

LYCÉE
STÉPHANE
MALLARMÉ

C 11

BROCHANT

St MICHEL
DES BATIGNOLLES

C 12

BRETONNEAU

CIMETIÈRE DU NORD
DIT **DE MONTMAR**

LA FOURCHE

LYCÉE TECHN.
AUG. RENOIR

Ste MARIE
DES BATIGNOLLES

D 11

D 12

p. 18

MAIRIE
ANNEXE
17E ARR

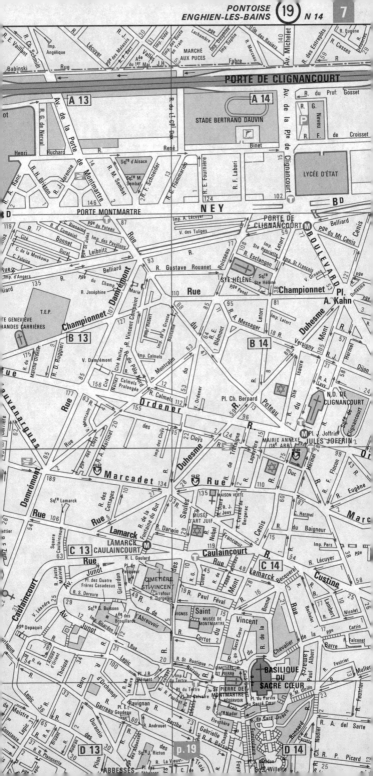

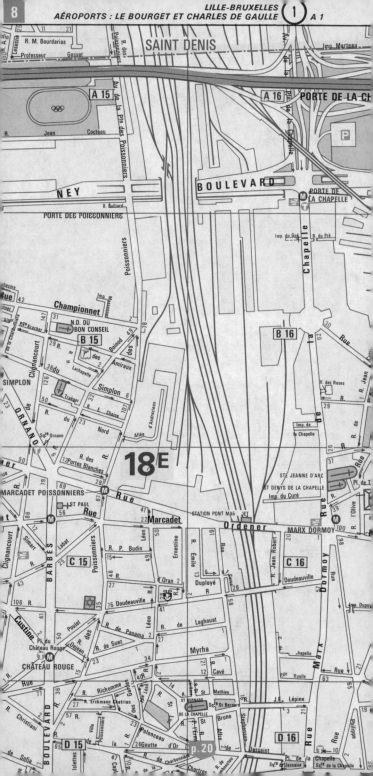

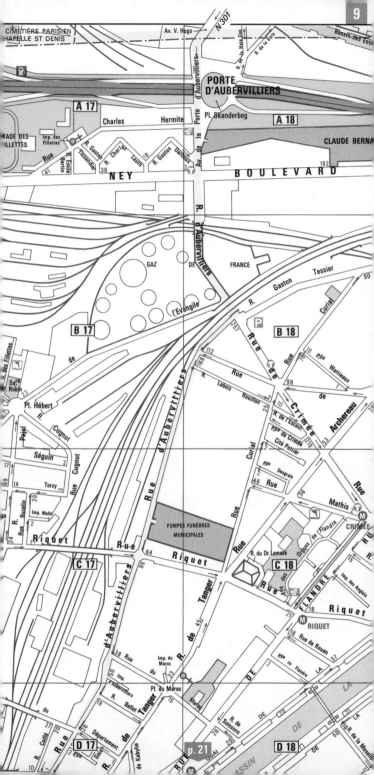

CIMETIÈRE PARISIEN
HAPELLE ST DENIS

Av. V. Hugo

N 301

Bassin des Ent

R. de la Haie Coq
R. de la Gare

PORTE
D'AUBERVILLIERS

Pl. Skanderbeg

A 17

Charles   Hermite

A 18

CLAUDE BERNA

ADE DES
FILLETTES

Imp. des
Fillettes

R. Émile Bertin

R. Gaston Tissandier

R. Charles Lauth

R. Gaston Darboux

Av. de la Porte d'Aubervilliers

N E Y

B O U L E V A R D

182

R. d'Aubervilliers

GAZ   DE   FRANCE

l'Evangile

Gaston   Tessier

90

B 17

de

R. Gaston

Rue de

Curial

B 18

P

257

112

Rue

168

R. Labais   Rouillon

P.ge   Wattieaux

98

Pl. Hébert

des Fillettes

Sœur
P. Robin

Cugnot

25

10

de   Crimée

de   Archereau

Séguin

Fajol

169

14

Torcy

2   Cugnot

Rue   d'Aubervilliers

R. de l'Escaut

P.ge de Crimée

Cité Pottier

219   53

Curial

P.ge

Desprais

46   Rue

36

Rue   Buzelin

Imp. Molin

POMPES FUNÈBRES
MUNICIPALES

Rue

Mathis

CRIMÉE

M

24   R i q u e t   R u e

C 17

64   Riquet

R. du Dr. Lamaze

C 18

Orgues de l'Flandre

Imp. des Anglais

Rue

75

Rue   d'Aubervilliers

Rue   de   Tanger

96

Rue

F L A N D R E

18   Riquet

16   Rue de Rouen   57

M   RIQUET

36   Rue

Imp. du
Maroc   33

P.ge de Flandre   LA

Imp.
d'Aubervilliers

50   Imp.

Pl. du Maroc

Maroc

15

R. de
Soissons

DE

du

R. Caillé

R. Bellot

R. de   Tanger   45

D 17

Département   de   R.

de Kabylie

p. 21

R. de Kabylie

DE

D 18

DE

ASSIN

DE

M

16   R. de la R

50

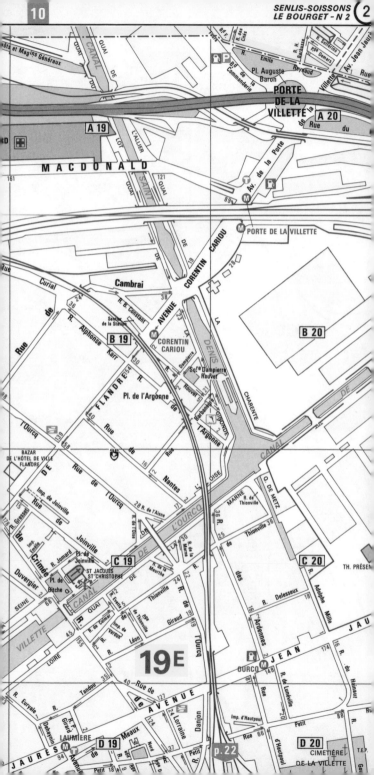

CANAL

R. des
Cités

Entrepôts et Magasins Généraux

R. Sallières

R.H.
Villette

R. Emile
Reynaud

R. Par Demars

Av. Jean Jaurès

Rue

P

Pl. Auguste
Baron

QUAI

Bd de la
Commanderie

CANAL

DE

QUAI

PORTE
DE LA
VILLETTE

Rue de la

A 20

Rue

du

A 19

L'ALLIER

QUAI

SAINT

QUAIS

MACDONALD

161

121

Av. de la Porte

89

T

P

M

CORENTIN CARIOU

M PORTE DE LA VILLETTE

Rue

Curial

Cambrai

DE

DE

19

B 20

R. Alphonse Karr

R. B. Constant

Sentier
de la Station

M- AVENUE

Rue

de

Rue

DE

B 19

M CORENTIN
CARIOU

Dampierre

R.

LA

DENIS

Sqre Dampierre
Rouvet

Rouvet

Barbanègre

FLANDRE

Pl. de l'Argonne

Rue

de

l'Argonne

CHARENTE

l'Ourcq

BAZAR
DE L'HÔTEL DE VILLE
FLANDRE

Rue

de

DE

Rue

de

l'Ourcq

Nantes

R. de l'Aisne

OISE

CANAL

DE

MARNE

R. de
Thionville

R. DE METZ

Imp. de Joinville

Rue

R. Grossel

R. Emile

DE

Joinville

R. Jomard

Pl. de
Joinville

L'OURCQ

R. de l'Oise

R. de
la Marne

de

Thionville

de

C 19

C 20

TH. PRÉSEN

Crimée

Duvergier

ST JACQUES
ST CHRISTOPHE

Pl. de
Bitche

DE

R. de la
Meurthe

Thionville

R.

de

R.

des

R. Delesseux

Adolphe Mille

SEINE

CANAL

QUAI

R.

R. de Calais

Imp. de
Verdun

R. d'Ennery

R. de Thionville

Léon

Giraud

L'OURCQ

Ardennes

JAU

VILLETTE

LOIRE

R.

R.

M OURCQ

JEAN

R. de Lunéville

19E

Rue de

AVENUE

R. Tandou

Meaux

DE

Lorraine

Delon

L'OURCQ

Imp. d'Hautpoul

Rue

Petit

d'Hautpoul

R. Euryale

LAUMIÈRE

R.T.P.
Girard

JAURES

M T

D 19

Av.

Nord

Petit

p. 22

D 20

CIMETIÈRE
DE-LA-VILLETTE

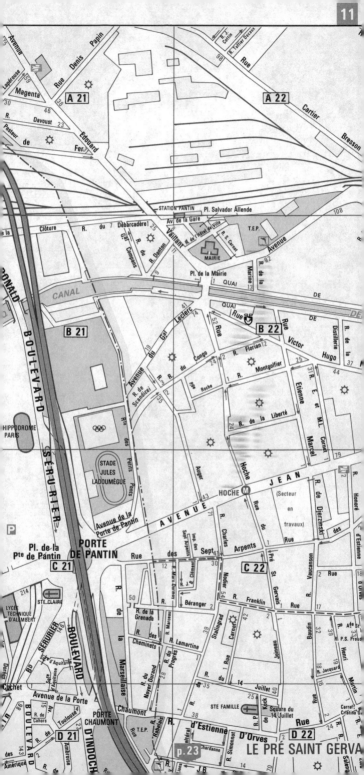

A 21
A 22

Avenue
Rue Denis Papin
Lapérouse
Magenta
R. Cartin
R. Tailler Decase
Rue
Cartier
Bresson
R. Pasteur
Davoust
de
Edouard
Ferr.

STATION PANTIN
Pl. Salvador Allende
Av de la Gare
108
de la
Clôture
R. du 7 Débarcadère
Vaillant
Pl. de l'Hôtel de Ville
T.E.P.
R. S. Carnot
Avenue
R. du Gal Compans
R. Denton
MAIRIE
R. Marine
Pl. de la Mairie
R. de la
CANAL
QUAI
1 QUAI
DE
DE

B 21
QUAI
Rue
B 22
Gal Leclerc
Rue
Victor
Distillerie
R. de la
Hugo
Avenue du
R. du Congé
R. Florian
Montgolfier
R. et ML Cornet
R. de Scandicci
Rue Roche
Pge
R. de la Liberté
Etienne
Marcel

HIPPODROME
PARIS
Rte des Petits Ponts
STADE JULES LADOUMÈGUE
Augier
Rue
Hoche
JEAN
HOCHE M
(Secteur en travaux)
R. de Dzerzinski
des
d'Estienne

P
Avenue de la Porte de Pantin
AVENUE
Charles
Sept Arpents
Arpents
Rue
Rue
Honoré

Pl. de la Pte de Pantin
PORTE DE PANTIN
C 21
Rue
des
Sept
C 22
Nodier
Pré St Gervais
Rue
Rue
d'Orves

LYCÉE TECHNIQUE D'ALEMBERT
STE CLAIRE
R. J. Clément
Béranger
R. Franklin
P.S. Proud
Rue
R. de la Grenade
Stalingrad
Carnot
Henri
R. Jacquard

SÉRURIER
BOULEVARD
R. des Cheminets
R. Lamartine
R. du Progrès
Rue
Rue
du
14 Juillet
Carref Cristina D.A.
Cochet
Avenue de la Porte
R. du Noyer Durand
R. de la Marseillaise
Chaumont
STE FAMILLE
Square du 14 Juillet
Rue

BOULEVARD
R. de Cahors
Av Toulouse
PORTE CHAUMONT
D'INDOCH
T.E.P.
R. Rabelais
R. d'Estienne
D'Orves
D 22
des
Amérique
Ambroise
R.
Chardanne
J.B.
LE PRÉ SAINT GERVA

D 21

p. 23

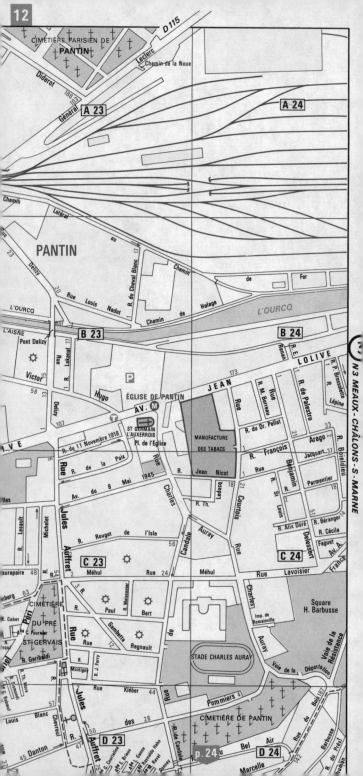

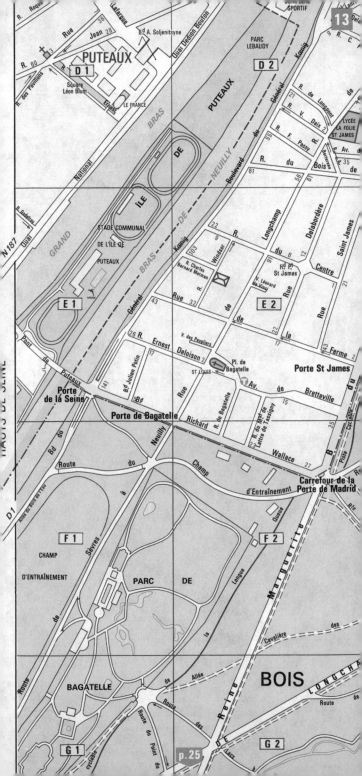

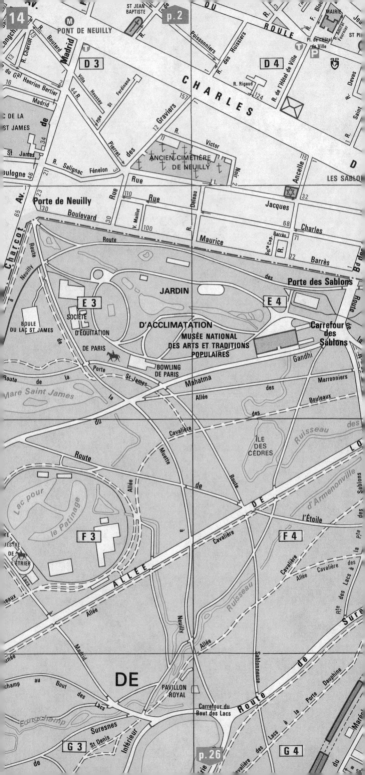

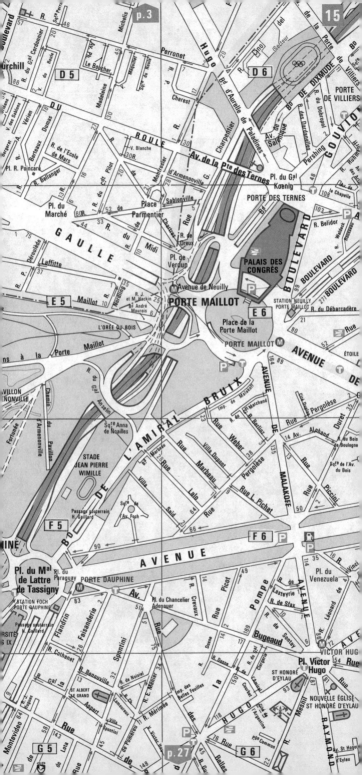

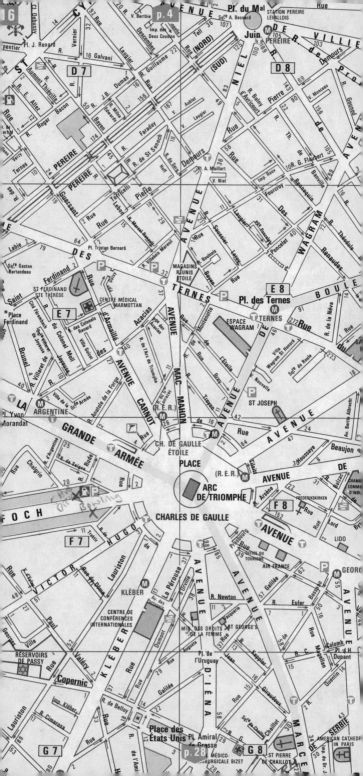

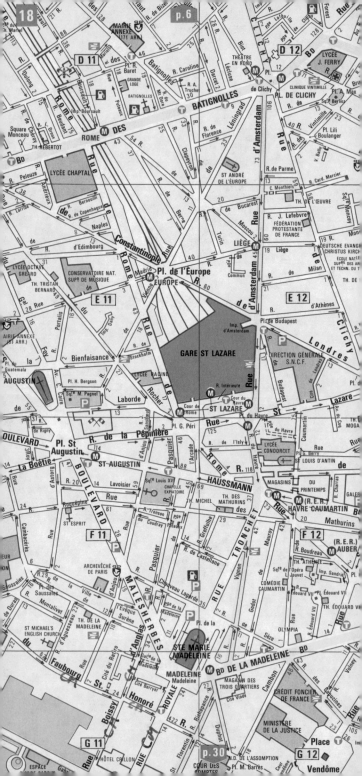

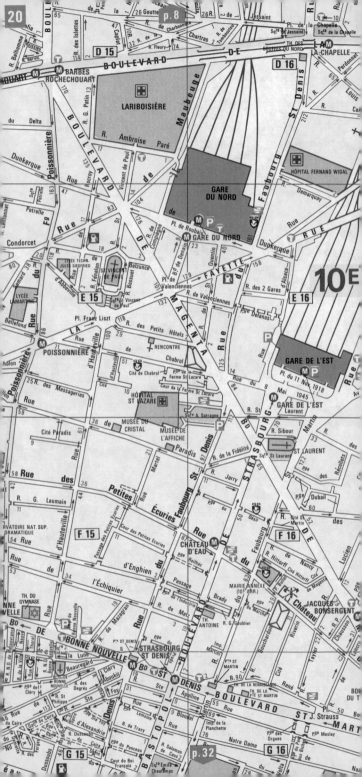

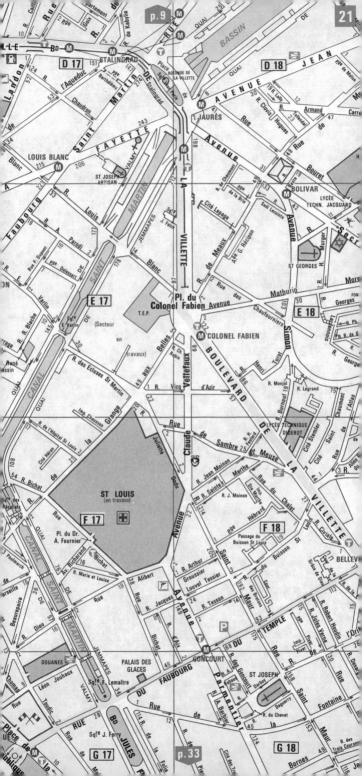

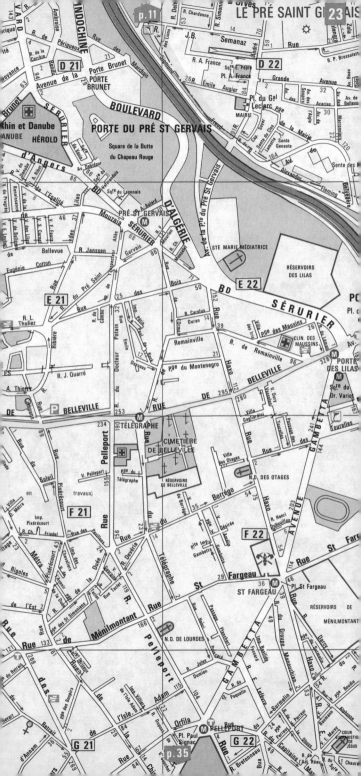

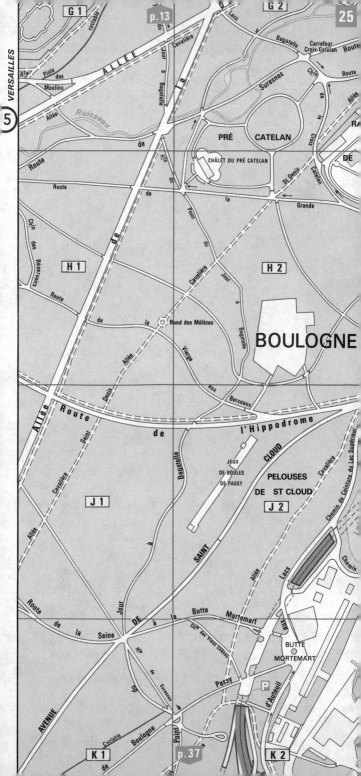

G 1

G 2

cyclable

ALLÉE

Cavalière

du

Jour

Lacs

à

Bagatelle

Carrefour
Croix Catelan   Route

de

Rie

Piste
des
Moulins

Allée

Ruisseau

de

Suresnes

Chin

de

la

Croix

Catelan

Route

Route

Allée

RA

PRÉ   CATELAN

DE

Route

CHÂLET DU PRÉ CATELAN

Rte

du

de

St Denis

Catelan

Route

de

la

Grande

Point

du

Chin   des   Réservoirs

Route

de

H 1

Cavalière

Jour

à

H 2

de

la

Rond des Mélèzes

Denis

Allée

Vierge

Bagatelle

BOULOGNE

aux

Berceaux

Allée

Route

Saint

de

l'Hippodrome

Bagatelle

CLOUD

Cavalière

Chemin de Ceinture du Lac Supérieur

Cavalière

JEUX
DE BOULES
DE PASSY

PELOUSES

J 1

DE   ST CLOUD

J 2

Allée

Lacs

Chemin

Allée

à

SAINT

Chemin

Route

de

la

Seine

Jour

DE

Rte

à

la

Butte   Mortemart

Chin des Vieux Chênes

aux

BUTTE
MORTEMART

de

Suresnes

à

Passy

P

d'Auteuil

AVENUE

Cyclable

Boulogne

Point

de

p.37

K 1

K 2

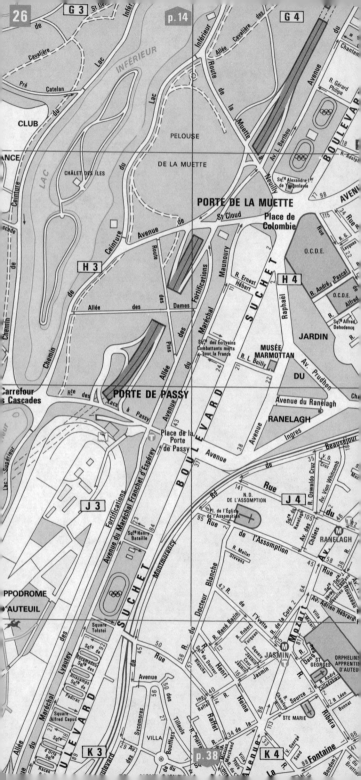

p. 14

G 3 St D...

de
Cavalière
Pré
Catelan

CLUB

...NCE

CHÂLET DES ÎLES

H 3

Allée des Dames

Ceinture

Route

Chemin

de

des

Pins

du

Fortifications

Allée

G 4

du Chanten...

R. Gérard Philipe

Avenue

BOULEVAR...

18

R. Adolp...

Av. L. Barthou

Sqre Alexandre-1er de Yougoslavie

98

AVEN...

PORTE DE LA MUETTE

St Cloud

Place de Colombie

de

Neuilly

Maunoury

R. Ernest Hébert

Maréchal

SUCHET

O.C.D.E.

H 4

75

R. G...

Leygues

R. André Pascal

O.C.D.E.

Raphaël

Sqre Alfred Dehodencq

R...

JARDIN

Sqre des Écrivains Combattants morts pour la France

R. L. Boilly

MUSÉE MARMOTTAN

24

22

Av. Prudhon

DU

Carrefour s Cascades

Rte des

Lac

à Passy

Avenue

PORTE DE PASSY

43

Avenue du Ranelagh

RANELAGH

Ingres

J 3

Fortifications

Avenue du Maréchal Franchet d'Esperey

Sqre Henri Bataille

84

Montmorency

Place de la Porte de Passy

Avenue

BOULEVARD

Avenue

38

de

Rue

141

N.D. DE L'ASSOMPTION

Pl. de l'Église de l'Assomption

Rue

de l'Assomption

R. Mallet Stevens

35

R. Oswaldo Cruz

Av. Von Whitcomb

V. O.

J 4

du

Sqre Ranelagh

105

Av. Chalets

RANELAGH

M

58

Beauségour

Mozart

PPODROME 'AUTEUIL

SUCHET

Square Tolstoi

Lyautey

Sqre des Attracamps

Sqre de Pédirac

Square Alfred Capus

Sqre ...

K 3

ULEVARD

Boulevard

des

Rue

Avenue

Sycomores

des

VILLA

29 Av.

du

R. du Docteur Blanche

42 R.

R. René Bazin

R. Robert Turquan

Sqre de Docteur

Rue

Henri

Jasmin

Rue

Raffet

R.

R. Pierre

Tilleuls

R. Heine

de

Im... Raffet

40

la

34 de

Av.

de la Cure

64

R. l'Yvette

Av. Adrien Hébrard

villa

4.5

Rue

Sqre Robert ...

Av. Ingres Rousseau

JASMIN

T

Dr S GEORGES

R. St André

R. Source

STE MARIE

Av.

Ribéra

Léon

R. George Sand

Fontaine

K 4

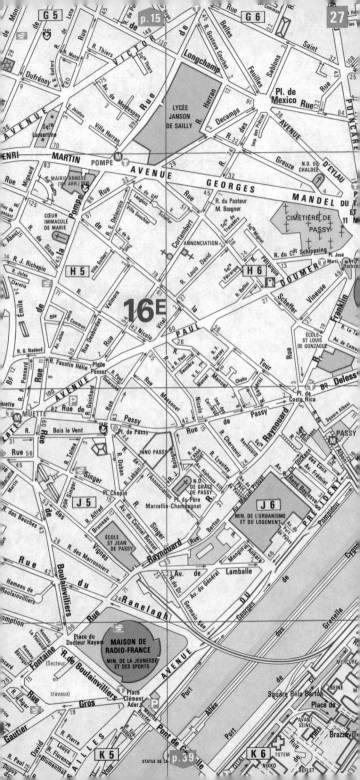

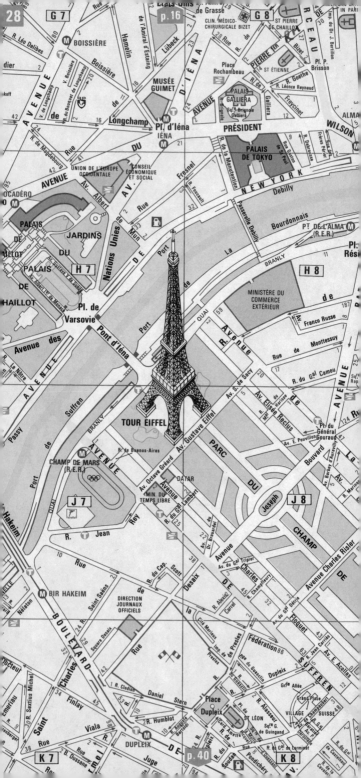

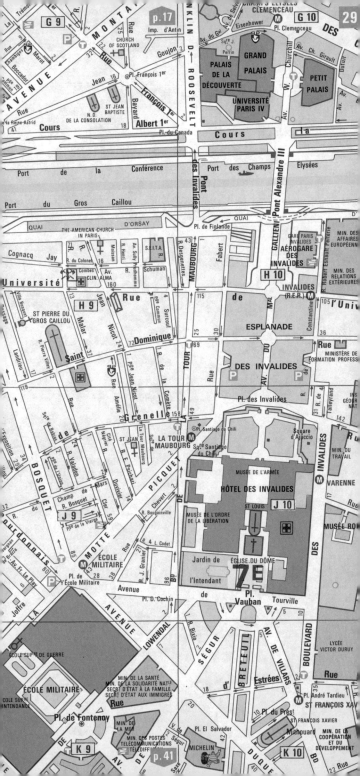

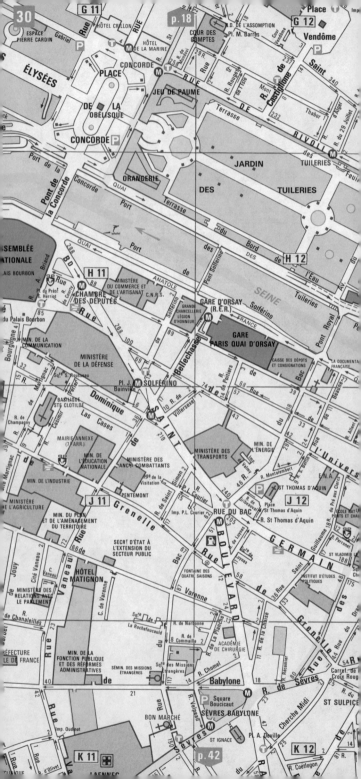

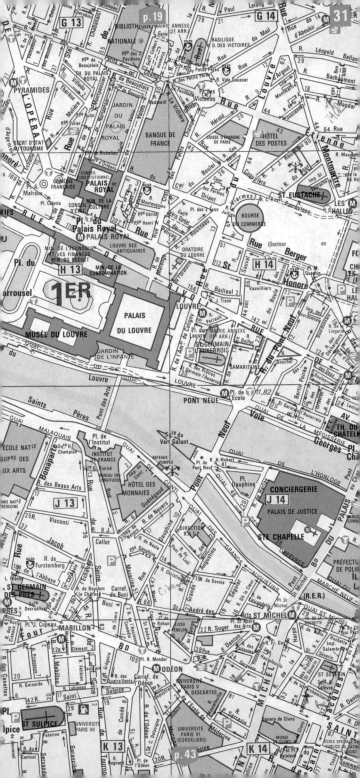

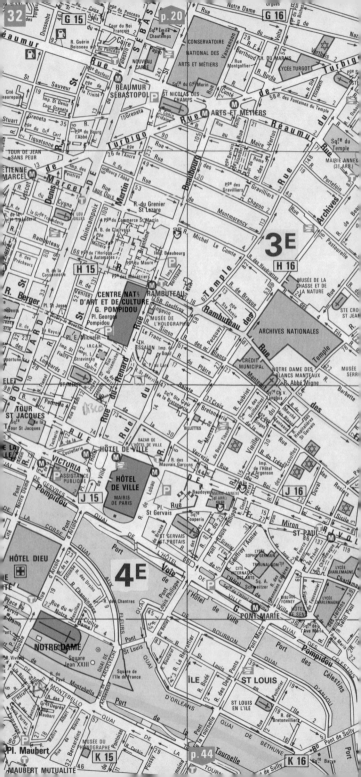

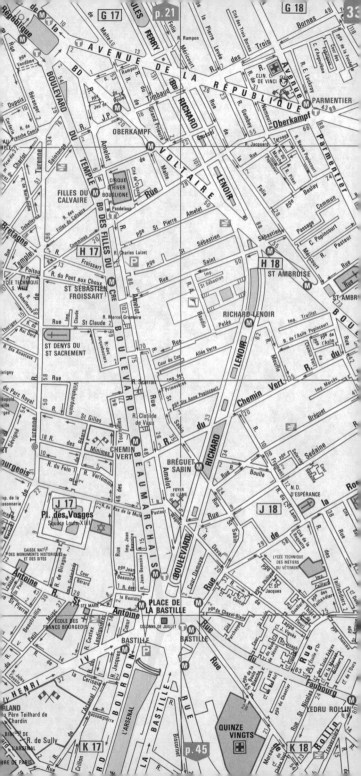

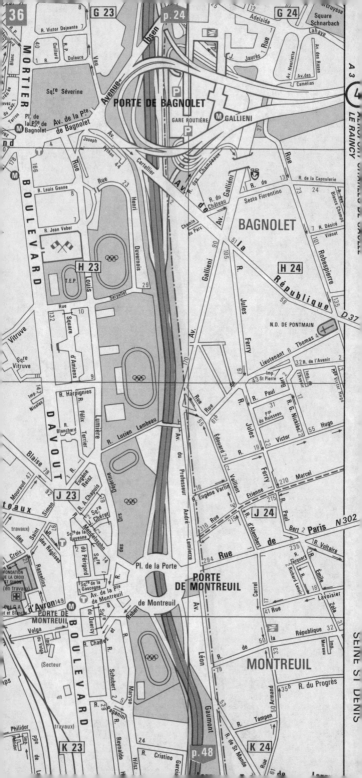

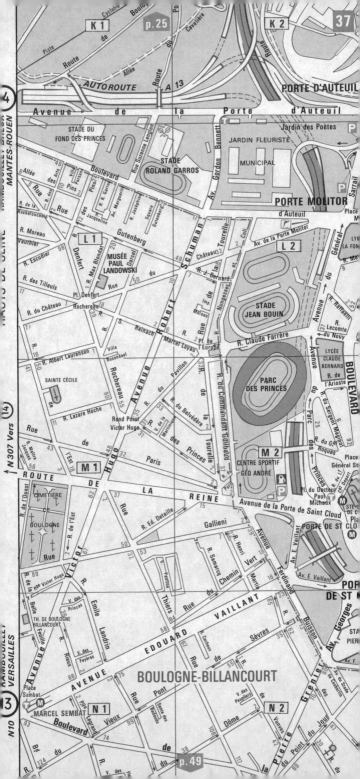

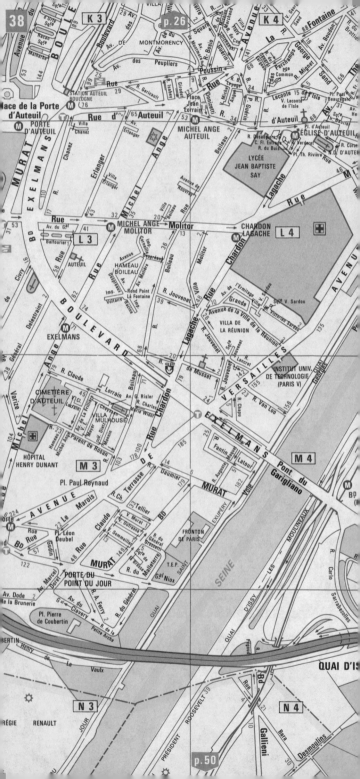

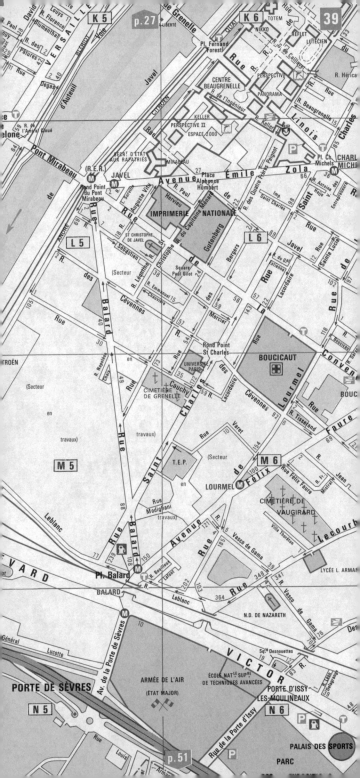

K 5

K 6   TOTEM
NIKKO   REFLET   LUTÉCIEN

Pl. Fernand
Forest

CENTRE
BEAUGRENELLE
R. de l'Ingénieur

PERSPECTIVE
PANORAMA

R. Héricar

R. Beaugrenelle

KELLER
PERSPECTIVE II
ESPACE 2000

Linois

CHARL
MICHI

SÉCRT D'ÉTAT
AUX RAPATRIÉS

MIRABEAU

Pl. Ch.
Michels

CHARL
MICHI

Pont Mirabeau

R. de
l'Amiral Cloué

(R.E.R.)

JAVEL

Rond Point
du Pont
Mirabeau

Place
Alphonse
Humbert

Avenue   Émile   Zola

IMPRIMERIE   NATIONALE

ST CHRISTOPHE
DE JAVEL

Square
Paul Gilot

Gutenberg

L 6

L 5

Rue   des   Cévennes

(Secteur

Rond Point
St Charles

UNIVERSITÉ
PARIS

BOUCICAUT

Conven

BOUC

CIMETIÈRE
DE GRENELLE

travaux)

(Secteur

en

travaux)

M 5

T.E.P.

(Secteur

en

LOURMEL   M   Félix

CIMETIÈRE DE
VAUGIRARD

M 6

Lecour

Rue   Modigliani

(travaux)

Avenue

Rue Vasco de Gama

LYCÉE L. ARMA

Ville Thoréton

Pl. Balard

BALARD

Leblanc

Rue   Vasco   de   Gama

N.D. DE NAZARETH

Sqre Desnouettes

VICTOR

ÉCOLE NAT LE SUP RE
DE TECHNIQUES AVANCÉES

PORTE D'ISSY
LES-MOULINEAUX

PORTE DE SÈVRES

ARMÉE DE L'AIR

(ÉTAT MAJOR)

N 5

N 6

PALAIS DES SPORTS

PARC

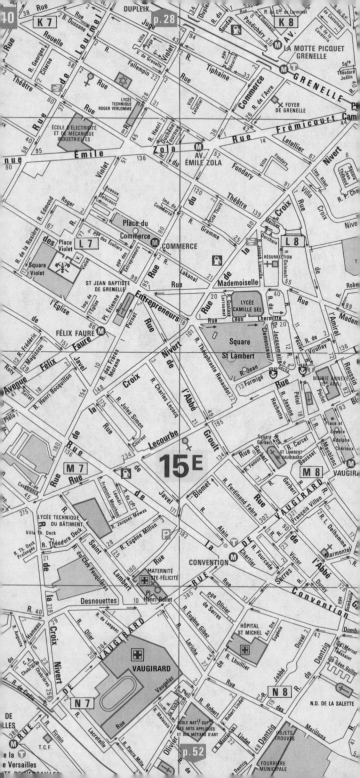

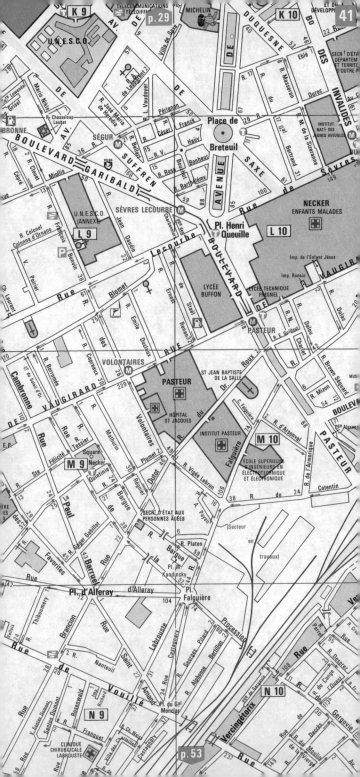

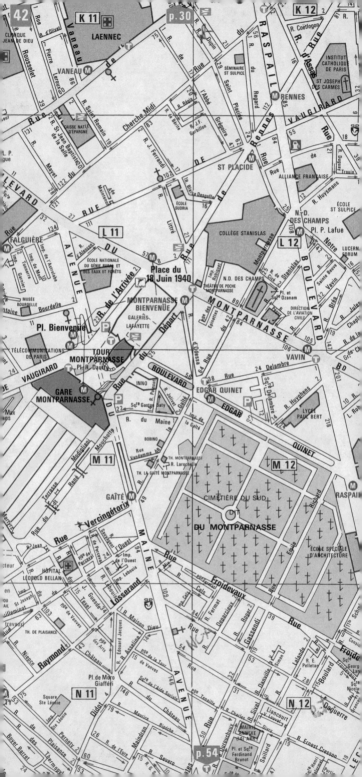

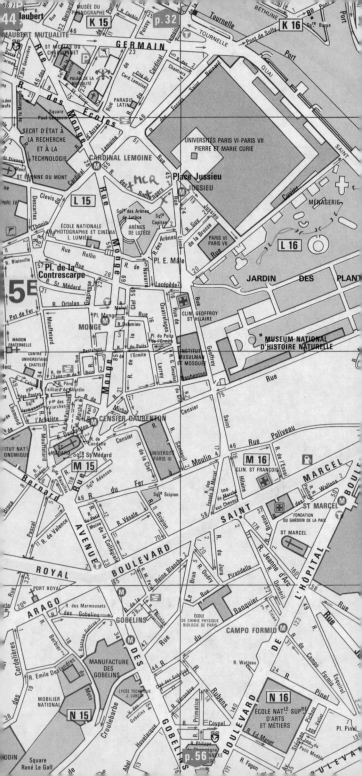

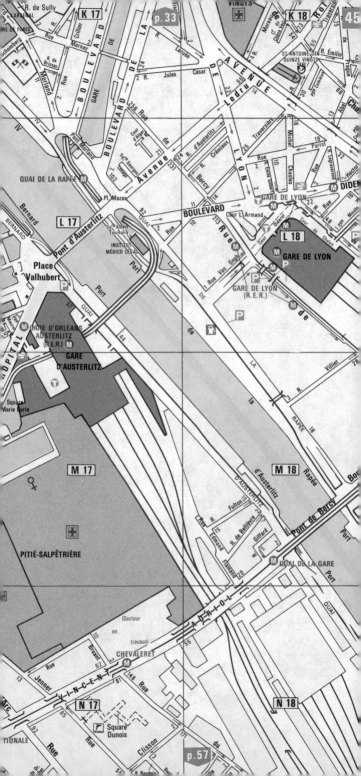

R. de Sully
K 17
p.33
VINGTS
K 18
RO
45

L'ARSENAL
RE DE PARIS
chomberg
Chillon
Mornay
R. de Brissac
Rue
R. de Paris
Morland
BOULEVARD
DE
LA
GARE
R.
Lacuée
Jules
César
Mereaux
et de
Chalais
ST ANTOINE DES
QUINZE VINGTS
R. Émilio
R. de Prague
AVENUE
de
Ledru
Rue
Traversière
Michel
Parrot
R. Engueand
Hector

BOULEVARD
DE
LA
GARE
Sqre Georges
Lesage
d'Albert
Avenue
de
R. d'Austerlitz
Crémieux
Bercy
R.
Chalon
Rue
Chalon
Chasles
GARE DE LYON
DIDE

QUAI DE LA RAPÉE M
L 17
BOULEVARD
QUAI
Rue
Cour L. Armand
Didedrot
Cour
GARE DE LYON
L 18
GARE DE LYON

Bernard
Pont d'Austerlitz
BERNARD
Sqre Albert
Tourrhaire
INSTITUT
MÉDICO LÉGAL
Port
Place
Valhubert
Port
Rue Van Gogh
GARE DE LYON
(R.E.R.)
de

GARE D'ORLÉANS
AUSTERLITZ
(R.E.R.)
GARE
D'AUSTERLITZ
QUAI
57
LA
Villiot

HOPITAL
Square
Marie Curie
T
RAPÉE
la
R.

M 17
M 18
Rapée
d'Austerlitz
d'AUSTERLITZ
Fulton
R. Edmond
R. de Bellièvre
Giffard
Pont de Bercy
Port

PITIÉ-SALPÊTRIÈRE
R.
Flamand
QUAI DE LA GARE
M
Port
QUAI

Rue
(Secteur
en
travaux)
AUB-RIO-T
Bruant
CHEVALERET
Jenner
VIN-C-EN-T
Rue
QUAI
du

N 17
N 18
Square
Dunois
Clisson

TIONALE
Rue
Rue

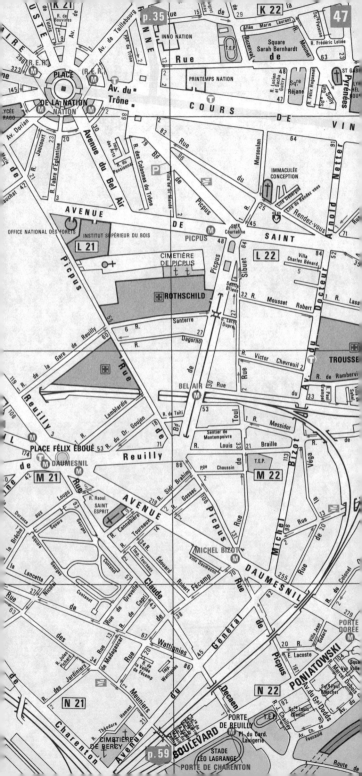

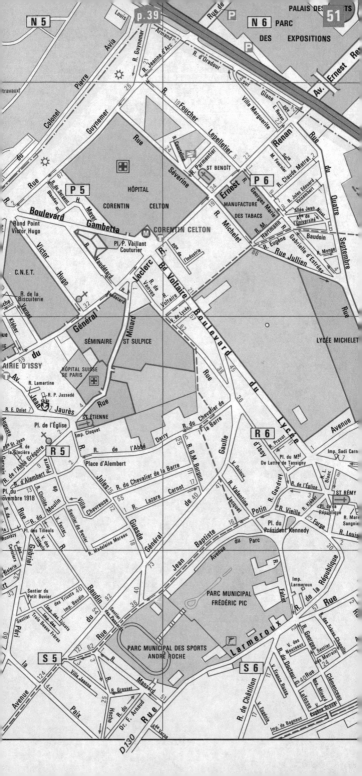

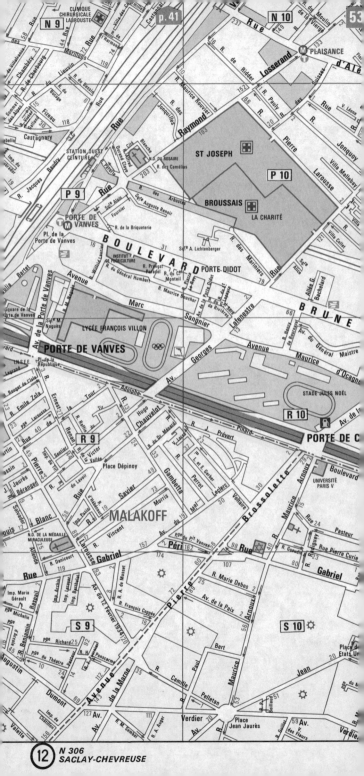

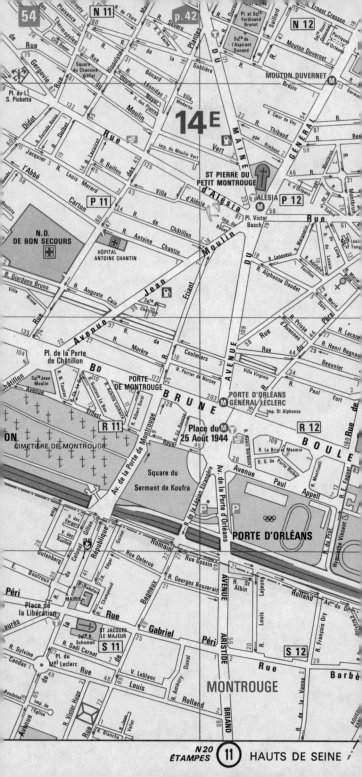

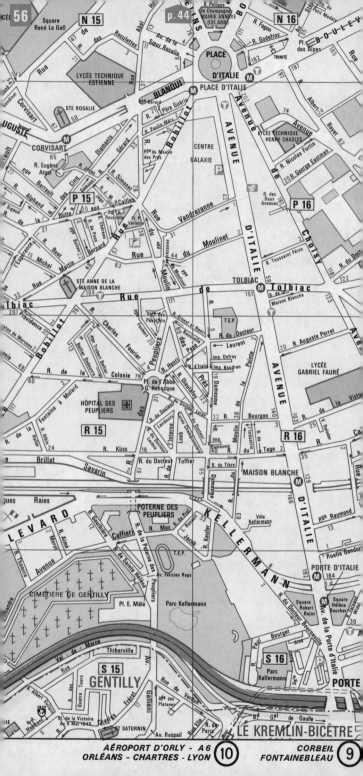

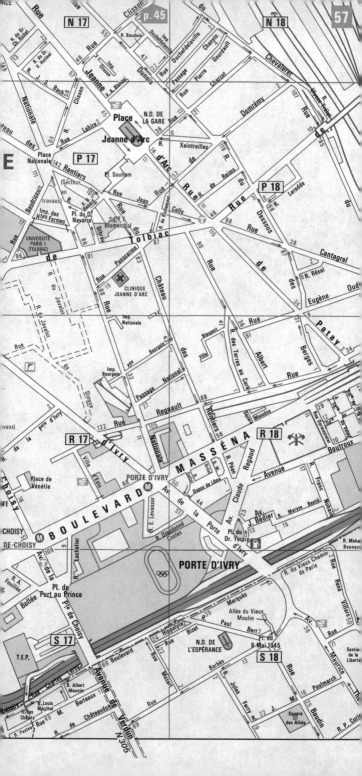

ÎLE DE BERCY

ÎLE DE REUILLY

Lac

Daumesnil

Ceinture du Lac

Saint

TEMPLE BOUDDHIQUE

Lac

P 23

DE

VINCENNES

Daumesnil

P 24

Carrefour de la Conservation

Route du Bac

Route des Glacières

Plaine

Route

VÉLODROME MUNICIPAL

CIMETIÈRE DE CHARENTON

Chemin de Conservation

AVENUE

de

Gravelle

R.C.S. Clermont-Ferrand B 855 200 507 - Place des Carmes-Déchaux 63 Clermont-Ferrand (France)
d'après les levés de l'Institut Géographique National
et les informations de la Préfecture de Paris

⑥

VAL DE MARNE

Av. de St Maurice

R. d'Estienne d'Orves

Stinville

R. des Ormes

Leclerc

R. E. Delacroix

Av. Jean

Victor

R. Basch

du

Général

Guérin

République

Av. de Verdun

R 23

RUE France Anatole

Conflans

Place Aristide Briand

Pl. de l'Église

CHARENTON ÉCOLES

R 24

Parc de

Rue

Thiébault

R. E. Nocard

de Lattre

THÉÂTRE MUNICIPAL

Rue Victor Hugo

MUSÉE DU PAIN

ST PIERRE

Rue Alfred Savouré

Pl. Henri IV

Gabrielle

V. des Épinettes

R. de la Cerisaie

Sqre de la Cerisaie

Rue Paul Eluard

R. R. Schuman

PARIS

Rue de la Cerisaie

CARRIÈRES

Sqre du 6 Mai 1945

R. de l'Embarcadère

QUAI

Square Jules Noël

Pl. Arthur Dussault

MAIRIE

Gabriel

Péri

R. de la Pompe

R. Cuif

PARIS

Pl. de la Gare

R. de la Mairie

CARRIÈRES

R. du Port Leclerc

ÎLE MARTINET

Pont Martinet

S 23

STADE HENRI GUÉRIN

Passerelle d'Alfortville

MARNE

QUAI DU DR. MASS

S 24

Pont de Charenton

⑥

COSMI

QUAI

D'ALFORTVILLE

R. Véron

R. Vaillant Couturier

R. du Parc

ALFORT ÉCOLE VÉTÉRINAIRE

R. Bourgelat

R. A. Maire

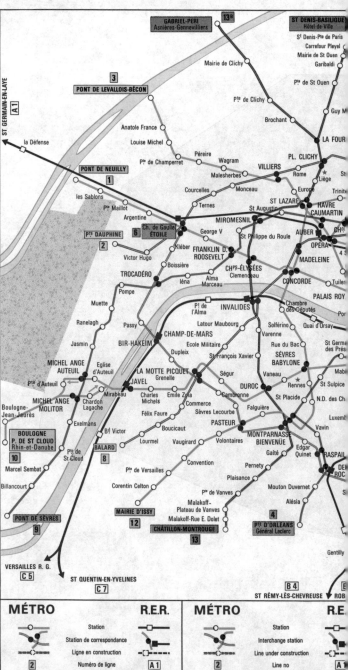

61

GABRIEL-PÉRI
Asnières-Gennevilliers
13ᴮ

ST DENIS-BASILIQUE
Hôtel-de-Ville
Sᵗ Denis-Pte de Paris
Carrefour Pleyel
Mairie de St Ouen
Garibaldi

ST GERMAIN-EN-LAYE
A 1

Mairie de Clichy

Pᵗᵉ de St Ouen

Guy M

3
PONT DE LEVALLOIS-BÉCON

Pᵗᵉ de Clichy

Brochant

LA FOUR

Anatole France
Louise Michel

Péreire

PL. CLICHY

la Défense

Pᵗᵉ de Champerret

Wagram

VILLIERS

Rome
Liège

St

PONT DE NEUILLY
1

Malesherbes

Monceau

Europe

Trinité

les Sablons

Courcelles

ST LAZARE

HAVRE
CAUMARTIN

Pᵗᵉ Maillot

Ternes

St Augustin

Argentine

Ch. de Gaulle
ÉTOILE
6

George V

MIROMESNIL

St Philippe du Roule

AUBER

CHÉ

PTᵉ DAUPHINE
2

Kléber

FRANKLIN D.
ROOSEVELT

OPÉRA

4 S

Victor Hugo

Boissière

CHPS-ÉLYSÉES
Clemenceau

MADELEINE

TROCADÉRO

Iéna

Alma
Marceau

CONCORDE

Tuile

Pompe

PALAIS ROY

Muette

Pʳ de
l'Alma

INVALIDES

Chambre
des Députés

Por

Ranelagh

Passy

Latour Maubourg

Solférino

Quai d'Orsay

CHAMP-DE-MARS

Varenne

Jasmin

BIR-HAKEIM

Dupleix

Ecole Militaire

Rue du Bac

Sᵗ Germai
des Prés

MICHEL ANGE
AUTEUIL

Eglise
d'Auteuil

LA MOTTE PICQUET
Grenelle

Sᵗ François Xavier

SÈVRES
BABYLONE

Ségur

Vaneau

Mabil

Pᵗᵉ d'Auteuil

JAVEL

Charles
Michels

Emile Zola

Cambronne

DUROC

Rennes

Sᵗ Sulpice

MICHEL ANGE
MOLITOR

Mirabeau

Chardon
Lagache

Commerce

Falguière

Sᵗ Placide

N.D. des Ch

Boulogne-
Jean-Jaurès

Exelmans

Félix Faure

Sèvres Lecourbe

PASTEUR

Luxemb

BOULOGNE
P. DE ST CLOUD
Rhin-et-Danube
10

Bᵈ Victor

Boucicaut

Vaugirard

Volontaires

MONTPARNASSE
BIENVENÜE

Vavin

BALARD
8

Lourmel

Edgar
Quinet

RASPAIL

Marcel Sembat

Pᵗᵉ de
St Cloud

Convention

Pernety

Gaîté

DE
ROC

Billancourt

Pᵗᵉ de Versailles

Plaisance

Mouton Duvernet

S

PONT DE SÈVRES
9

Corentin Celton

Pᵗᵉ de Vanves

Alésia

MAIRIE D'ISSY
12

Malakoff-
Plateau de Vanves
Malakoff-Rue E. Dolet

Pᵗᵉ D'ORLÉANS
Général Leclerc
4

CHÂTILLON-MONTROUGE
13

Gentilly

VERSAILLES R. G.
C 5

ST QUENTIN-EN-YVELINES
C 7

B 4
ST RÉMY-LÈS-CHEVREUSE

E
ROB

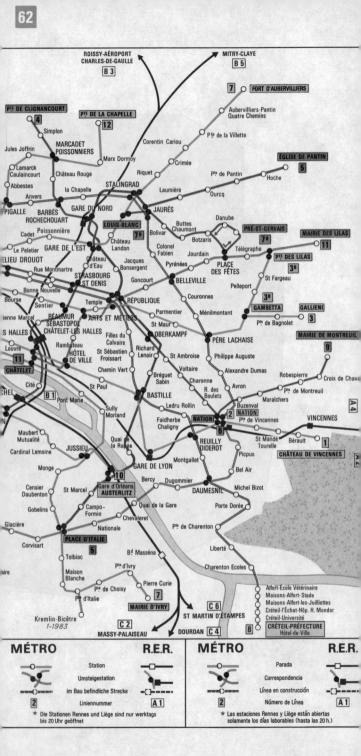

62

ROISSY-AÉROPORT
CHARLES-DE-GAULLE
B 3

MITRY-CLAYE
B 5

7 ⃝ FORT D'AUBERVILLIERS

Aubervilliers-Pantin
Quatre Chemins

Pᵗᵉ de la Villette

ÉGLISE DE PANTIN
5

Pᵗᵉ de Clignancourt
4 Simplon

MARCADET
POISSONNIERS

Jules Joffrin

Corentin Cariou

Crimée

Marx Dormoy

PORTE DE LA CHAPELLE
12

Lamarck
Caulaincourt
Château Rouge

Riquet

Pᵗᵉ de Pantin   Hoche

Abbesses

la Chapelle   STALINGRAD

Laumière   Ourcq

Anvers

GARE DU NORD

JAURÈS

PIGALLE   BARBÈS
ROCHECHOUART

LOUIS-BLANC
7ᴮ

Bolivar

Buttes
Chaumont   Danube

PRÉ-ST-GERVAIS
7ᴮ

MAIRIE DES LILAS
11

Cadet   Poissonnière

Château
Landon

Botzaris

Le Peletier   GARE DE L'EST

Colonel
Fabien   Jourdain   Télégraphe

Pᵗᵉ DES LILAS
3ᴮ

RICHELIEU DROUOT

Château
d'Eau   Jacques
Bonsergent   Pyrénées   PLACE
DES FÊTES   St Fargeau

Rue Montmartre
STRASBOURG
ST DENIS   Goncourt   BELLEVILLE   Pelleport

Bonne Nouvelle   Temple   Couronnes

GAMBETTA
3ᴮ   GALLIENI
3

Bourse   Sentier   RÉPUBLIQUE   Parmentier

Richelieu Marcel   RÉAUMUR
SÉBASTOPOL   ARTS ET MÉTIERS   St Maur   Ménilmontant   Pᵗᵉ de Bagnolet

LES HALLES   CHÂTELET-LES HALLES   OBERKAMPF   PÈRE LACHAISE   MAIRIE DE MONTREUIL
9

Louvre   Rambuteau   Filles du
Calvaire   Richard
Lenoir   St Ambroise   Philippe Auguste

11   HÔTEL
DE VILLE   St Sébastien
Froissart   Voltaire   Alexandre Dumas   Robespierre   Croix de Chava

CHÂTELET   Chemin Vert   Bréguet
Sabin   Charonne   Avron   Pᵗᵉ de Montreuil

Cité   St Paul   BASTILLE   R. des
Boulets   Buzenval   **A 4**

CHÂTELET   **B 1**   Pont Marie   Ledru Rollin   NATION
2   Pᵗᵉ de Vincennes   VINCENNES

Sully
Morland   Faidherbe
Chaligny   **6**   St Mandé
Tourelle   Bérault   **1**

Maubert
Mutualité   Quai de
la Rapée   REUILLY
DIDEROT   Picpus   CHÂTEAU DE VINCENNES

Cardinal Lemoine   JUSSIEU   Montgallet   **A 4**

Monge   GARE DE LYON   Bel Air

Censier
Daubenton   **10**   Bercy   Dugommier   DAUMESNIL   Michel Bizot

St Marcel   Gare d'Orléans
AUSTERLITZ   Porte Dorée

Gobelins   Campo-
Formio   Quai de la Gare

Glacière   Nationale   Chevaleret   Pᵗᵉ de Charenton

Corvisart   PLACE D'ITALIE
5   Liberté

Tolbiac   Bᵈ Masséna   Charenton Ecoles

Maison
Blanche   Pᵗᵉ d'Ivry   Alfort-École Vétérinaire

aire   Pierre Curie   Maisons-Alfort-Stade
Maisons-Alfort-les-Juilliottes
Créteil-l'Échat-Hôp. H. Mondor
Créteil-Université

Pᵗᵉ de Choisy   **7**

Pᵗᵉ d'Italie   MAIRIE D'IVRY
C 6   ST MARTIN D'ÉTAMPES   **8**   CRÉTEIL-PRÉFECTURE
Hôtel-de-Ville

Kremlin-Bicêtre
1-1983   **C 2**   DOURDAN   **C 4**

MASSY-PALAISEAU

LIGNES URBAINES D'AUTOBUS (par sections)
LIST OF CITY BUSES (showing stages)

Service général de 7 h à 20 h 30 — Normal service from 7 am to 8.30 pm

service assuré jusqu'à minuit ■ buses running to midnight

service assuré les dimanches et fêtes ● buses running on Sundays and holidays

20 ● Gare St-Lazare — Opéra — Sentier/Poissonnière-Bonne-Nouvelle — République — Bastille — Gare de Lyon.

21 ● Gare St-Lazare — Opéra — Palais-Royal — Châtelet — Gare du Luxembourg — Berthollet-Vauquelin — Glacière-Auguste-Blanqui — Pte de Gentilly.

22 Opéra — Pasquier-Anjou/Gare St-Lazare — Haussmann-Courcelles — Ch.-de-Gaulle-Etoile — Trocadéro — La Muette-Gare de Passy — Chardon-Lagache-Molitor/Pt Mirabeau — Pte de St-Cloud.

24 Gare-St-Lazare — Concorde — Pt du Carrousel/Pt Royal — Pt Neuf — Maubert-Mutualité/Pt de l'Archevêché — Gare d'Austerlitz — Gare de Lyon — Pt National — Charenton-Pt de Conflans — Alfort-Ecole Vétérinaire.

26 ■ ● Gare St-Lazare — Carrefour de Châteaudun — Gare du Nord — Jaurès-Stalingrad — Botzaris-Buttes Chaumont — Pyrénées-Ménilmontant — Pyrénées-Bagnolet — Cours de Vincennes.

27 ● Gare St-Lazare — Opéra-Auber — Palais-Royal — Pt Neuf — Gare du Luxembourg — Berthollet-Vauquelin — Pl. d'Italie — Nationale — Pte de Vitry (■ : Pt Neuf — Pte de Vitry).

28 Gare St-Lazare — St-Ph. le Roule/Matignon-St-Honoré — Pt des Invalides — Ecole Militaire — Breteuil — Losserand — Pte d'Orléans.

29 Gare St-Lazare — Opéra — E.-Marcel-Montmartre — Archives-Rambuteau/Archives-Haudriettes — Bastille — Gare de Lyon/Daumesnil-Diderot — Daumesnil-F.-Eboué — Pte de Montempoivre.

30 Gare de l'Est — Barbès-Rochechouart — Pigalle — Pl. de Clichy — Malesherbes-Courcelles — Ch.-de-Gaulle-Etoile — Trocadéro.

31 ■ ● Gare de l'Est — Barbès-Rochechouart — Mairie du 18e — Vauvenargues — Brochant-Cardinet — Jouffroy-Malesherbes — Ch.-de-Gaulle-Etoile.

32 Gare de l'Est — Carrefour de Châteaudun — Gare St-Lazare — St-Ph.-du-Roule/Matignon-St-Honoré — Marceau-Pierre 1er de Serbie — Trocadéro — La Muette — Pte de Passy.

38 Gare de l'Est — Réaumur-Arts-et-Métiers/Réaumur-Sébastopol — Châtelet — Gare du Luxembourg — Denfert-Rochereau — Pte d'Orléans (■ ● : Châtelet — Pte d'Orléans).

39 Gare de l'Est — Poissonnière-Bonne-Nouvelle/Sentier — Richelieu-4-Septembre — Palais-Royal — St-Germain-des-Prés — Hôp. des Enfants Malades — Mairie du 15e/Vaugirard-Favorites — Pte de Versailles.

42 Gare du Nord — Châteaudun/Le Peletier — Opéra — Concorde — Alma-Marceau — Champ de Mars — Ch.-Michels — Balard-Lecourbe.

43 Gare du Nord — Carrefour de Châteaudun — Gare St-Lazare — Haussmann-Courcelles — Ternes — Pte des Ternes — Neuilly-St-Pierre — Pt de Neuilly — Neuilly-Pl. de Bagatelle (● : Gare St-Lazare — Neuilly — Bagatelle).

46 ● Gare du Nord — Gare de l'Est — Goncourt — Voltaire-L.-Blum — Faidherbe-Chaligny — Daumesnil-F.-Eboué — Pte Dorée — St-Mandé-Demi-Lune-Zoo (service partiel jusqu'au Parc floral d'avril à septembre).

47 Gare du Nord — Gare de l'Est — Réaumur-Arts et Métiers/Réaumur-Sébastopol — Châtelet — Maubert-Mutualité — Censier-Daubenton — Pl. d'Italie — Pte d'Italie — Le Kremlin-Bicêtre-Hôp. (service partiel jusqu'au Fort du Kremlin-Bicêtre).

48 Gare du Nord — Petites Ecuries/Cadet — Richelieu-4-Septembre/Réaumur-Montmartre — Palais-Royal — St-Germain-des-Prés — Gare Montparnasse/pl. du 18-Juin-1940 — Institut Pasteur — Pte de Vanves.

49 Gare du Nord — Carrefour de Châteaudun — Gare St-Lazare — St-Ph.-du-Roule/Matignon-St-Honoré — Pt des Invalides — Ecole Militaire — Mairie du 15e/Vaugirard-Favorites — Pte de Versailles.

52 ● Opéra — Concorde/Boissy-d'Anglas — St-Ph.-du-Roule — Ch.-de-Gaulle-Etoile — Belles-Feuilles — La Muette — Pte d'Auteuil — Boulogne-Château — Pt de St-Cloud (■ : Ch.-de-Gaulle-Etoile — Pte d'Auteuil).

53 Opéra — Gare St-Lazare — Legendre — Pte d'Asnières — Levallois-Perret (G. Eiffel).

54 République — Gare de l'Est — Barbès-Rochechouart — Pigalle — La Fourche — Pte de Clichy — Clichy-Landy-Martre/Clichy-D.-Casanova — Pt de Clichy — Gabriel-Péri.

56 Pte de Clignancourt — Barbès-Rochechouart — Gare de l'Est — République — Voltaire-L.-Blum — Nation — Pte de St-Mandé — Vincennes-les-Laitières — Chât. de Vincennes.

57 Gare de Lyon — Gare d'Austerlitz — Pl. d'Italie — Poterne des Peupliers — Mairie de Gentilly.

58 Hôtel de Ville — Pt Neuf — Palais du Luxembourg — Gare Montparnasse/pl. du 18-Juin-1940 — Château de Vanves — Vanves-Lycée Michelet.

60 Gambetta — Borrégo — Botzaris — Ourcq-Jaurès — Crimée — Ordener-Marx-Dormoy — Mairie du 18e — Pte de Montmartre.

61 Gare d'Austerlitz — Ledru-Rollin-Fbg St-Antoine — Roquette-Père-Lachaise — Gambetta — Marie du 20e — Pte des Lilas — Pré-St-Gervais — Place Jean-Jaurès.

62 ■ ● Cours de Vincennes — Daumesnil-F.-Eboué — Pt de Tolbiac — Italie-Tolbiac — Glacière-Tolbiac — Alésia-Gal.-Leclerc — Vercingétorix — Convention-Vaugirard — Convention-St-Charles — Chardon-Lagache-Molitor/Michel-Ange-Auteuil — Pte de St-Cloud.

STÄDTISCHE AUTOBUSLINIEN (nach Streckenabschnitten
LÍNEAS URBANAS (por secciones

Normaler Busverkehr von 7 bis 20.30 Uhr – Circulación general de 7 h a 20 h 30

Busverkehr bis 24 Uhr ■ servicio hasta las 24 h

Busverkehr auch an Sonn- und Feiertagen ● servicio los domingos y festivos

63 ■ ● Gare de Lyon — Gare d'Austerlitz — Monge-Mutualité/Maubert-Mutualité — St-Sulpice/St-Germai des-Prés — Solférino-Bellechasse — Pt des Invalides-Quai d'Orsay — Alma-Marceau — Trocadéro — Pte de Muette.

65 Gare d'Austerlitz — Bastille — République — Gare de l'Est — Pl. Chapelle — Pte de la Chapelle - Aubervilliers-La Haie-Coq — Mairie d'Aubervilliers (● : Pte de la Chapelle — Mairie d'Aubervilliers).

66 Opéra — Gare St-Lazare/Rome-Haussmann — Sq. des Batignolles — Pte Pouchet — Clichy-Bd V. Hugo

67 Pigalle — Carrefour Châteaudun — Richelieu-4-Septembre/Réaumur-Montmartre — Palais-Royal/Louvre-Rivo — Hôtel-de-Ville — St-Germain-Cardinal Lemoine — Buffon-Mosquée — Pl. d'Italie — Pte de Gentilly.

68 Pl. de Clichy — Trinité — Opéra — Pt Royal — Sèvres-Babylone — Vavin — Denfert-Rochereau — P d'Orléans — Montrouge-Etats-Unis/Montrouge-Verdier-République — Cim. Bagneux (● : Pte d'Orléans - Cim. Bagneux).

69 Gambetta — Roquette-Père-Lachaise — Bastille — Hôtel-de-Ville — Palais-Royal/Pt Carrousel Grenelle-Bellechasse/Solférino-Bellechasse — Invalides-La Tour-Maubourg/La Tour-Maubourg-St-Dominique Champ-de-Mars.

70 Hôtel-de-Ville — Pt Neuf — St-Sulpice/St-Germain-des-Prés — Hôp. des Enfants-Malades — Peclet Ch.-Michels — Pl. du Dr-Hayem.

72 Hôtel-de-Ville — Palais-Royal/Pt Carrousel — Concorde — Alma-Marceau — Pt Bir-Hakeim — Pt Mirabea — Pte St-Cloud — Boulogne-Billancourt-J.-Jaurès — Pt St-Cloud (● : Concorde — ■ : Pte St-Cloud — St-Cloud).

73 Gare d'Orsay — Concorde — Rd-Pt Champs-Elysées — Ch.-de-Gaulle-Etoile — Pte Maillot Neuilly-Hôtel-de-Ville — Pt de Neuilly — Puteaux-La Défense.

74 Hôtel-de-Ville — Louvre-Rivoli/Pt Arts — Réaumur-Montmartre/Richelieu-4-Septembre — Carrefo Châteaudun — La Fourche — Pte de Clichy — Clichy-V.-Hugo — Clichy-Hôp. Beaujon (■ ●: Pte Clichy Hôp. Beaujon).

75 Pt Neuf — Archives-Haudriettes/Grenier St-Lazare — République — Grange-aux-Belles — Armand Carrel-Mai du 19e — Pte de Pantin.

76 Louvre — Hôtel-de-Ville — Bastille — Charonne-Ph. Auguste — Pte de Bagnolet — Mairie de Bagnolet Bagnolet-Malassis.

80 ■ ● Mairie du 15e — Ecole Militaire — Alma-Marceau — Matignon-St-Honoré/St-Ph.-du-Roule — Ga St-Lazare — Damrémont-Caulaincourt — Mairie du 18e (*les dimanches et fêtes seulement, prolongation de lig Mairie du 18e — Mairie du 15e jusqu'à la* Pte de Versailles).

81 Châtelet — Palais-Royal — Opéra/Opéra-Auber — Trinité/Gare St-Lazare — La Fourche — Pte de St-Oue

82 ● Gare du Luxembourg — Pl. du 18-juin-1940 — Oudinot — Ecole Militaire — Champ-de-Mars - Kléber-Boissière — Pte Maillot — Neuilly-St-Pierre — Neuilly-Hôp. Américain.

83 Pl. d'Italie — Gobelins — Observatoire — Sèvres-Babylone — Solférino — Pt des Invalides/Gare des Invalide — St-Ph.-du-Roule — Ternes — Pte de Champerret — Levallois-Pl. de la Libération.

84 Panthéon — Gare du Luxembourg — Sèvres-Babylone — Solférino-Bellechasse — Concorde — St-Augustin - Courcelles — Pte de Champerret.

85 Gare du Luxembourg — Châtelet — Louvre-Rivoli/Palais-Royal — Réaumur-Montmartre/Rich lieu-4-Septembre — Cadet/Carrefour de Châteaudun — Muller — Pte Clignancourt — Mairie St-Ouen (■ ● Pte Clignancourt — Mairie St-Ouen).

86 St-Germain-des-Prés — Mutualité — Bastille — Faidherbe-Chaligny — Pyrénées/Pte de Vincennes St-Mandé-Tourelle — St-Mandé-Demi-Lune-Zoo.

87 Champ-de-Mars — Ecole Militaire — Duroc-Oudinot/Vaneau-Babylone — St-Germain-des-Prés/St-Sulpice - Mutualité — Bastille.

89 Gare d'Austerlitz — Cardinal-Lemoine — Gare Luxembourg — Pl. du 18-Juin-1940 Cambronne-Vaugirard/Vaugirard-Favorites — Pte de Plaisance — Vanves-Lycée Michelet.

91 ■ ● Gare Montparnasse — Observatoire-Port-Royal — Gobelins — Gare d'Austerlitz — Gare de Lyon Bastille.

92 ■ ● Gare Montparnasse — Oudinot — Ecole Militaire — Alma-Marceau — Ch.-de-Gaulle-Etoile — Pte d Champerret.

94 Gare Montparnasse — Sèvres-Babylone — Solférino-Bellechasse — Concorde — St-Augustin Malesherbes — Pte Asnières — Levallois-Av. République.

95 ■ ● Gare Montparnasse — St-Germain-des-Prés — Palais-Royal — Opéra — Gare St-Lazare Damrémont-Caulaincourt — Pte de Montmartre.

96 ● Gare Montparnasse — St-Germain-des-Prés/St-Sulpice — St-Michel — Hôtel-de-Ville Turenne-Francs-Bourgeois — Parmentier-République — Pyrénées-Ménilmontant — Pte des Lilas (■ : Châte — Pte des Lilas).

● **PC** Pte Auteuil — Pte Passy — Longchamp — Pte Maillot — Pte Champerret — Pte Clichy — Pte St-Ouen Pte Clignancourt — Pte Chapelle — Pte Villette — Pte Chaumont — Pte Lilas — Pte Bagnolet — Pte Vincennes Pte Charenton — Pte Vitry — Pte Italie — Cité Universitaire — Pte Orléans — Pte Vanves — Pte Versailles — Victor — Pte Auteuil (■ les samedis, dimanches, fêtes et veilles de fêtes).

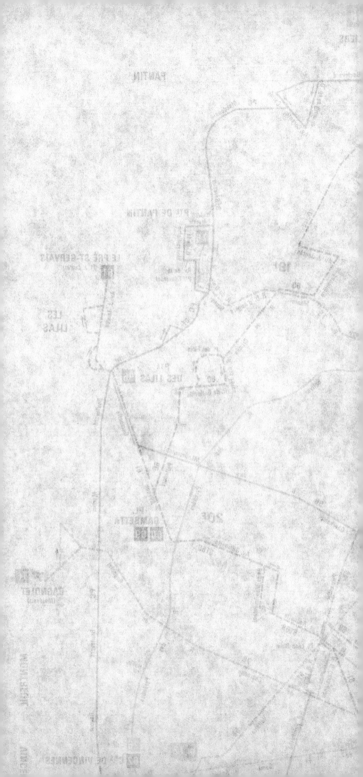

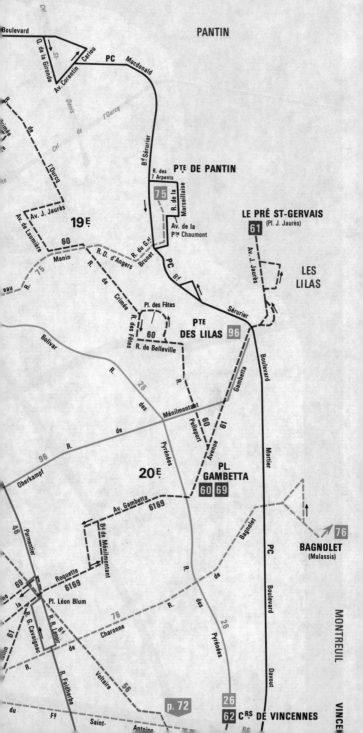

p. 65

BOIS

DE

BOULOGNE

PTE DE LA MUETTE

16 E

PTE DE PASSY

PTE DE PASSY

TROCADÉRO

30

63 Av. H. Martin   de   Av. G. Mandel   63

Av. du Prés. Wil

69

52

Pompe

la

Av. des N

Av

Av. Paul Doumer   22 32

R. Franklin

Suchet   32

Chaussée de   32
la Muette   R. de Passy

Mozart

52

22

Pl.
Rodin

R. de Boulainvilliers

R. de
Ranelagh

70

PC

Boulevard

R. La Fontaine

Av.

70   PL. DU DR HAYEM
(Men de Radio-France)

Av. Th. Gauthier

72

Pt de
Grenelle

R. Linois

Charles

Bd d

52

R. d'Auteuil

Pt Mirabeau

70

52

Av. de la Pte Molitor

Mouret

R. Michel Ange

R. Chardon Lagache

62   Versailles

de

42   Saint-

R.

de

des

R.

R.

52

PONT DE
ST-CLOUD

72

72

62

22

PTE DE
ST-CLOUD

Bd

Av.

R. C. Terrasse

Pt du Garigliano

SEINE

BALARD-
LECOURBE   42

R. Leblanc   Rue

Boulevard   Victor PC

BOULOGNE
BILLANCOURT

PTE DE VERSAILLES   49 3

ISSY-LES-
MOULINEAUX

PARIS AUTOBUS

8

V.

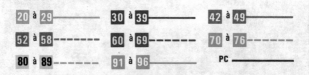

20 à 29	————	30 à 39	—·—·—	42 à 49	————
52 à 58	––––––	60 à 69	–·–·–	70 à 76	–––––
80 à 89	– – – –	91 à 96	————	PC	————

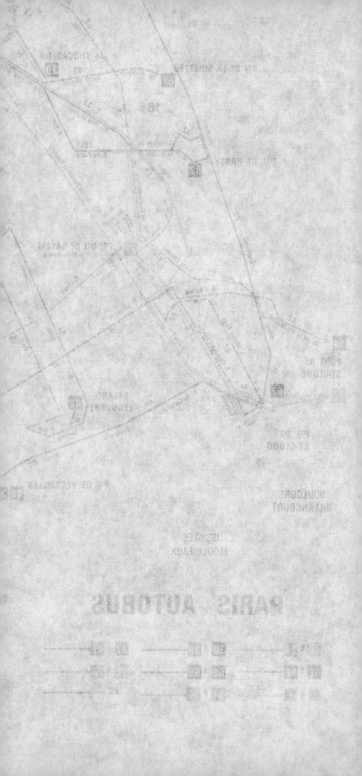

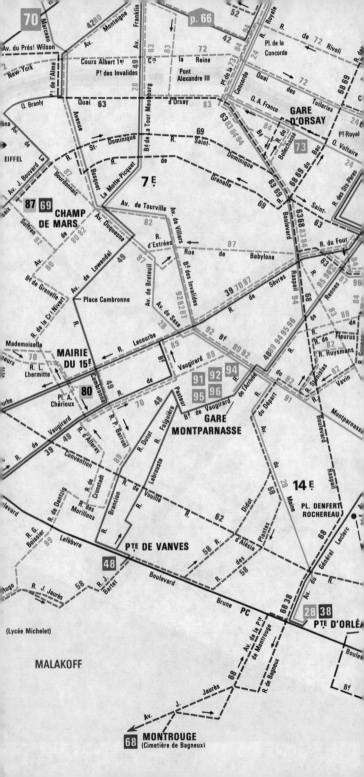